우리의 공간은 공정합니까?

_공간의 공공성과 사회와의 관계에 대한 분석

우리의 공간은 공정합니까?

발 행 | 2024년 07월 02일
저 자 | 정태종
펴낸이 | 한건희
펴낸곳 | 주식회사 부크크
출판사등록 | 2014.07.15.(제2014-16호)
주 소 | 서울특별시 금천구 가산디지털1로 119 SK트윈타워 A동 305호
전 화 | 1670-8316
이메일 | info@bookk.co.kr

ISBN | 979-11-410-9198-9

www.bookk.co.kr
ⓒ 정태종 2024

우리의 공간은 공정합니까?

정 태 종 지음

CONTENT

프롤로그   7

제1장   걸을 수 있는 권리   13

01. 도시의 공공공간   15

02. 여가 보행의 활성화   22

03. 사회기반시설물의 지속가능성   32

04. 사회기반시설물 활용 도심부 보행공간 활성화43

05. 도시경관과 보행   54

06. 야간경관과 보행의 연결   58

제2장   공정한 문화생활   63

07. 공공 프로그램   65

08. 문화공간의 시간적, 공간적 관점   69

09. 문화공간의 사회적 역할   75

10. 누구나 누리는 문화   80

11. 도심부 녹지공간 개방   89

12. 전시공간의 새로운 사회적 역할_프락(FRAC)106

제**3**장　사는 것이 아닌 사는 곳　117

13. 같이 사는 사회　119
14. 임대 주거　123
15. 경계 허물기　140
16. 감염병에 따른 주거시설의 건축계획적 변화 147

제**4**장　건강한 공간　153

17. 백 세 사회　155
18. 도심 속 치유환경　163
19. 문화와 건강　168
20. 건축공간구성을 통한 치유환경 조성　176

에필로그　184

참고문헌　189

프롤로그

공공성의 정의와 개념의 변화

최근 우리 사회의 화두는 공정이다. 모든 이들에게 군대, 교
육, 취업, 성별 등 모든 분야를 가로지르는 초미의 관심사이다. 공
정과 관련된 개념에는 공공성이 있다. 그리고 공공성의 기초에는
공동성의 의미가 깔려있다. 이는 일정하고 명확하고 변함없는 절대
성으로 정의되었으리라는 예상과는 다르게, 지나온 시대와 사상가
에 따라 그 의미가 다르게 사고 되고 규정되어 왔으며 역사적인
흐름 속에 국가가 어떻게 구성되고 시민이 어떤 권한을 가지는지
에 대한 문제라고 할 수 있다.[1]

독일 철학자 위르겐 하버마스(Jürgen Habermas)는 공동으
로 사용할 수 있는 프랑스의 살롱(Salon)에서 공공성의 모티브를
찾으며 사용자는 공중(the Public)이며 공중들의 교류공간(Public
Space)으로 치환되어 공공성을 나타냈다. 또한, 한나 아렌트
(Hannah Arendt)는 아고라(Agora)라는 구체적인 장소를 통해 공
공성을 표출하는 자율적 주체와 장소를 나타내서 건축적 공공성의
논의를 사회적인 의미의 공공성으로 확보하게 되었다.[2] 여기에서
나타나는 공공성은 어떤 추상적인 것이 아닌 일정한 특정 사회의
실체로 공공영역의 존재를 전제한다는 공통점이 있다.

공공성의 개념이 최근 현대 사회에서 결과로부터 과정 중심으로 변화함에 따라 기존의 공공성 의미도 공적, 공익, 공정, 공론적 공공성으로 여러 가지 측면으로 이해하게 되었다. 구체적으로 살펴보면 국가, 정부 등의 공공기관에 의한 행위인 공적 측면, 다수의 일반인에게 공통되고 보편적 행위로서 공익적 측면, 모든 사람이 공유하고 접근이 용이한 공정적 측면, 그리고 문화적 측면의 자율성을 강조한 공론적 측면의 공공성 등 사회의 변화에 따라 현대적으로 재해석하는 것이 필요하다. 또한, 공공성의 확장성과 다층성으로 인하여 국가나 정부의 역할이 관리라는 협소한 범위에서 벗어나 지원과 파트너의 역할로 전환되었다. 그 결과 끊임없는 합의와 다양한 주체의 협력으로 공공성이 형성되고 동일성과 전체성에서 다양성과 차별성이 추구된다.

도시 공간의 공공성

여러 분야에서 나름대로 정의되는 공공성 중 도시 공간의 공공성은 공공건축물과 사유건물의 공개공지에서 모두 함께 열린 공간의 개념으로 진행되어왔다. 도시 공간의 주요한 공공성 영역으로는 공간의 개방과 사유공간의 공공화를 통한 공공성 확보, 난개발 지양을 통한 공공성 확보, 주민 참여와 전문가 역할을 통한 공공성 구현, 그리고 공공디자인 측면에서의 공공성 구현 등이 있다. 이와 함께 도시 공간 공공성의 특징은 공공성을 창출하는 주체의 변화,

공적 공간과 사적 공간 경계의 모호함, 결과 중심에서 과정 중심의 전환, 관리와 운영 주체의 다양화, 지역과 장소의 맥락 고려와 존중요구, 가치공유와 합의형성의 중요성 등이다. 개념의 변화과정에서 공적 영역과 사적 영역이 모호해져서 나타나는 혼란을 피하고자 많은 연구는 공공성을 평가하는 지표를 설정하여 정량적으로 평가하려고 시도한다.[3]

우리의 공간은 공정합니까?

현대 사회는 여러 분야의 다양한 공공성 확보와 함께 도시인의 기본권인 도시 공간의 공공성 증진에 관한 사회적 관심이 높아지고 있다. 또한, 최근에는 도시 공간 내 건축의 생활 공간적, 사회적, 문화적 공공성 실현이 기본적 방향으로 제시되는 상황이므로 시대의 변화에 따른 공공성의 개념과 인식의 변화에 따른 접근이 필요하다.[4] 공공성의 기본 조건은 도시 공간의 보행 및 가로체계이다. 이와 함께 현대 사회에서 가장 기초적이며 중요한 공간은 주거분야과 의료분야의 공간이다. 또한, 이러한 기본적인 공공성을 바탕으로 다양한 삶이 도시 속에서 형성되는데 그중 가장 핵심 활동은 문화생활이다. 어느 시대에나 사람이 모여 사는 공간에는 갈등과 화합이 뒤섞여 있다. 우리가 딛고 사는 현재 이곳의 공간은 사회를 구성하는 구성원 모두에게 공정한지 묻고 그 답을 찾는 과정의 노력이 요청된다.

이제 건축을 공부하면서 지금까지 도시와 건축공간의 수많은 질문을 통한 개인과 사회 공간 연구를 바탕으로 우리 주변의 대표적 공공 및 공용공간인 보행공간, 문화공간, 주거공간, 의료시설 치유환경 등의 현황을 살펴보고 도시 공간의 공정한 사용을 위한 생각을 공유하고자 한다.

지금까지 개인적으로 진행해온 공공성과 공정에 관한 도시건축 연구 결과는 크게 네 분야로 나눌 수 있다. 도시 공간의 공공성에서 가장 기본이 되는 보행과 걸을 수 있는 권리에 관한 것이 첫 번째다. 이 주제는 너무나 당연한 일상의 공간에 대한 돌아봄과 관심을 연구자의 태도와 합쳐서 서울 도심부 사례를 통해 도시 보행공간의 현황과 보행 요소를 분석하고 도심 속 여가보행과 머무름의 공간화에 대한 것이다. 두 번째는 도심부 여가보행과 연결하고 확대할 수 있는 문화공간과 문화 활동에 관한 연구이다. 이국적 물건의 단순한 콜렉션에서 시작하여 사회적 접촉과 도시재생의 대표적인 프로그램이 된 문화시설이 도심부 녹지와 보이드 공간과 연결하여 공공성을 확대할 수 있음을 전제로 한다. 그리고 개인적인 공간이지만 공동주택이라는 집합공간을 선호하는 한국 주거공간의 특성 속에서 공공성의 또 다른 의미를 파악하는 연구로 서울과 수도권의 공공임대 공동주택 단지의 현황과 특성을 분석하였다. 마지막으로 질병과 의료공간 중에서도 치유환경에 집중하여 도시 공간에서의 공공성과 공정에 대하여 살펴보고자 한다.

도시 공간에서 도시인으로서 기본적이고 기초적인 생활 환경을 제공하고 받아야 함에도 불구하고 현대 사회는 생각보다 공정하지 못한 경우가 많다. 막연한 생각보다는 현실 속에서 구체적인 데이터와 분석을 통하여 논리화하고 이론으로 정립하고자 시작한 연구가 몇 년이 지나면서 논문화되었고 이 연구들이 앞으로 더 나아갈 바탕이 될 것으로 생각하고 하나의 책으로 묶었다. 이것은 지금까지 발표한 학회 논문과 학술대회 발표의 일부 결과임을 밝힌다. 나와 함께 밤늦게까지 학교 연구실을 밝히고 그 속에서 치열하게 세미나하고 토론하고 논문을 쓴 학생들에게 감사드린다.

죽전 캠퍼스에서

정태종

제1장 걸을 수 있는 권리

01. 도시의 공공공간

02. 여가 보행의 활성화

03. 사회기반시설물의 지속가능성

04. 사회기반시설물 활용 도심부 보행공간 활성화

05. 도시경관과 보행

06. 야간경관과 보행의 연결

제1장 걸을 수 있는 권리

현대 사회는 기능적인 도시 공간 내 문제들을 해결하기 위하여 공공성의 개념과 인식 변화에 따라 생활 공간적, 사회적, 문화적 공공성 실현이 기본적이며 중요한 사항으로 제시되는 등 사회적으로 관심이 높아지고 있다. 도시민의 보행을 위한 도시 공간의 대표적이자 중요한 공공공간은 가로 및 보행공간이다. 보행공간은 가로경관과 보행환경의 요소들이 결합하여 형성되는데 이는 이동이 목적인 필수적 활동의 보행뿐만 아니라, 가로와 광장, 그리고 공원 등 도심 공간에 머무름과 여가를 제공하여 도시 생활의 기본적인 환경을 형성하여야 한다.

도시의 공공성을 증진하기 위하여 목적보행뿐만 아니라 여가보행을 위한 가로공간의 보행환경 조성이 필요하다. 보행공간은 개인이나 소수의 독점적 이용이나 폐쇄공간이 아닌, 모두에게 그리고 다수의 이용을 위한 개방공간이어야 하며 항상 열린 공간이어야 한다.

01. 도시의 공공공간

도시 공간의 공공성은 건축과 관련한 공공공간과 함께 이동수단의 활동을 포함한다. 공간의 공공성은 건축물과 공개공지에서 모두 함께 열린 공간의 개념이며, 공공성 영역으로는 공간의 개방과 공공화, 난개발 지양, 주민 참여, 그리고 공공디자인 등이 있다. 이동수단으로서 보행은 적당한 속도를 가진 걸음으로 인간의 가장 기초적인 교통수단이며 옥외공간의 생활 활동으로서 의미가 있다. 보행을 위한 가로와 보행공간은 인간이 통과하고 활동하며 외부와 접촉하는 공공공간으로 생활과 활동의 장이다.[5]

보행환경은 보도, 차도, 건물 등으로 이루어진 가로 주변 환경만이 아니고, 지역 내의 근린시설의 종류, 주거 밀도 등의 도시형태 특성이나 가로의 네트워크 시스템 등의 통합적인 범위이다.[6] 이는 보행과 활동에 영향을 미치는 물리적, 감각적, 정신적 측면과 이에 관련된 제도 등을 포함한 총체적 환경으로 보행공간과 이를 둘러싸는 확장된 개념이며, 보행의 장애 요소를 없앤 물리적 환경뿐만 아니라 분위기와 정취까지 고려하는 환경을 의미한다.[7]

보행의 구성요소는 환경적 요소, 사회적 요소, 경제적 요소, 물리적 요소 등으로 구분할 수 있다. 환경적 요소는 자연환경, 인공환경, 교통환경으로 구성하며, 사회적 요소는 인구와 인구활동성,

그리고 경제적 요소는 부동산 소유권과 경제활동이 포함된다. 물리적 요소는 가로 시설과 건물의 외관이 있으며 1차 요소는 보행자, 지하 보도, 아케이드, 로지아, 광장, 육교로, 2차 요소는 물, 수목 등의 자연 요소, 그래픽, 환경 조각 등의 예술 요소, 그리고 다양한 가로시설물로 구분한다.

보행의 구성 요소

환경적 요소	사회적 요소	경제적 요소	물리적 요소	
자연환경 인공환경 교통환경	인구 인구활동성	부동산 소유권 경제활동	가로시설 건물의 외관	
			1차 요소	2차 요소
			보행자 지하보도 아케이드 로지아 광장, 육교	자연요소 (물, 수목) 예술요소 (그래픽, 환경조각) 가로 시설물

보행환경의 물리적 요소 중 보행에 영향을 주는 요소들은 크게 가로 환경, 네트워크 환경, 지역 환경으로 나뉜다.[8] 가로 환경은 보도, 차도, 건물 등으로 이루어진 주변 환경으로 가로의 존재, 유형 등, 네트워크 환경은 가로의 연결성과 시스템, 시설로의 거리로서 목적지까지의 거리, 경로의 편리성 등, 그리고 지역 환경은

근린시설, 밀도, 도시의 형태들로 연속된 보행로 블록 크기와 용도
구역 녹지 체계 등으로 특정 지점이나 가로가 아닌 보행을 유발하
는 지역 전체의 특성과 관계된 요소이다.

　　사람들은 보행공간을 통하여 타인과 자연과 도시와 연결되고
그 공간 속에서 체류하며 머물게 되며 머무름은 도시 공간의 활성
화에 중요하다. 덴마크 건축가이자 도시설계 전문가 얀 겔(Jan
Gehl)은 보행공간에서 발생하는 사람들의 활동을 필수적 활동, 선
택적 활동, 사회적 활동으로 구분하고, 사람들의 다양한 활동 간의
상관관계와 사회적 이익을 연구하였다.[9] 필수적인 활동보다는 선
택적 활동, 사회적 활동이 많이 발생하는 보행공간일수록 공간을
이용하고 있는 사람들에게 사회적 이익이 많은 보행공간이며 필수
적 활동은 물리적 환경에 따라 큰 차이가 나타나지 않지만, 선택적
활동과 사회적 활동은 물리적 환경 영향을 크게 받는다[10].

　　선택적 활동과 사회적 활동은 여가 보행과 관계있으며, 주중
에 여가 보행이 일어날 수 있는 시간대는 퇴근 시간 이후이고 주
중보다는 주말에 나타난다. 보행공간의 물리적 환경과 활동유형과
의 관계에 관한 연구에 의하면 보행환경은 접근성, 공간구성은 다
양성, 그리고 가로시설물은 편의성과 관련 있으며 업무나 학습, 쇼
핑 등 특정 목적을 위한 필수적 활동은 걷기를 중심으로 하며 이
는 접근성과 관련이 깊으며 편의성과는 무관하다.

얀 겔(Jan Gehl)의 보행공간 활동유형

활동유형	활동내용	사례
필수적 활동	목적 지향적이고 일상적인 활동 외부환경으로로부터 비교적 독립적	통근, 통학을 위하여 걷기 버스 기다리기 물건 배달하기
선택적 활동	위락적이고 선별적인 활동 외부환경의 여건에 따라 발생	산책로를 따라 걷기 전망대에서 도시의 경관을 바라보기 햇볕을 쬐기 위하여 앉아 있기
사회적 활동	사람들 간의 다양한 접촉을 위한 예측불가하고 즉흥적인 활동	사람들과 인사하기 사람들과 잡담을 나누기 아이들의 놀이

　　보행공간의 물리적 환경과 활동유형과의 관계에 관한 연구에 의하면 보행환경은 접근성, 공간구성은 다양성, 그리고 가로시설물은 편의성과 관련 있으며 업무나 학습, 쇼핑 등 특정 목적을 위한 필수적 활동은 걷기를 중심으로 하며 이는 접근성과 관련이 깊으며 편의성과는 무관하다. 이에 비해 주말이나 주중 야간에 한가로이 소요하거나 사회적 관계를 형성하는 선택적, 사회적 활동은 이동보다는 서 있거나 앉아 있는 행위와 연관되며 이는 접근성과 편의성, 가로시설물, 그늘과 쉘터 시설의 종류와 수와도 관련된다.[11]

보행공간 물리적 환경과 활동유형 관계

잠재요소	변수
접근성	보행접근이 가능한 면수, 바닥의 구배 볼라드 등 보행안전을 위한 시설의 종류와 수
다양성	저층부 용도와 다양성 야간에 운영하는 가게의 종류와 수 개방형 입면의 주변 점포 수
편의성	벤치 등 가로시설물의 종류와 수 분수, 조형물 등 공공예술품의 설치여부 CCTV 등 보안안전시설의 유무 그늘과 쉘터 등 미기후를 결정하는 시설의 유무

서울대학교 건강증진 연구에 의하면 통근과 통학, 근린생활 시설 이용과 같은 일상생활 보행과 비교하여 운동과 산책만을 포함하는 여가 보행에 대해서는 심미적이고 도시설계적 요소의 영향력이 더 크게 작용하는 것으로 나타났다.12) 선택적 활동과 사회적 활동은 여가 보행과 관계있으며, 주중에 여가 보행이 일어날 수 있는 시간대는 퇴근 시간 이후이고 주중보다는 주말에 나타난다.

보행의 물리적 요소, 활동, 프로그램

유형	요소	활동	프로그램
목적 보행	도로체계 (접근성)	필수활동	주거, 사무, 상업, 쇼핑
여가 보행	도로경관, 야간경관	선택, 사회활동	광장, 공원, 옥상공원, 수공간, 아케이드, 필로티, 테라스

서울의 대표적 보행공간은 서울 성곽길, 청계천길, 북촌, 서촌, 남산 둘레길, 정동길, 서울역 고가공원, 동대문 디자인 플라자(DDP) 보행전용거리, 청진구역 지하보행로(피맛길) 등이다.[13] 서울시 생활 안전도 결과를 살펴보면 서울시 도심부 보행공간에 대한 현황을 파악할 수 있다. 2005년에서 2018년까지 서울시 서베이 도시정책지표조사 결과 항목 중 생활 안전도 내 휴식공간 및 녹지 부족 항목은 2014년 28.6%, 2015년 28.7%로부터 2016년 28.3%, 2017년 29.6%, 2018년 34.5%로 점차 증가하는 형태이며, 주차 질서 항목이 가장 심각한 문제로 인식되고 있다.[14]

서울시 보행환경의 만족도 조사 결과, 권역별 주간 만족도는 도심권이 49.7%로 동북권 47.4%, 서북권 52.0%, 서남권 52.3%, 동남권 50.0% 등 다른 권역보다 낮았다. 그러나 지역별 만족도는 종로구 41.0%, 중구 54.7%, 동대문구 40.4%로 서울시 도심부는 지역별로 차이가 나타난다. 주간 보행환경에 대한 만족도 점수는 10점 만점 기준 2018년 6.17이며 2017년 5.99에서 점차 감소하는 형태로 만족도가 떨어지고 있지만 2014년 5.88, 2016년 5.91과 비교하면 근소한 차이가 난다.

서울시 권역별 야간 보행공간의 만족도는 도심권이 46.0%로 동북권 34.1%, 서북권 37.1%, 서남권 42.5%, 동남권 43.2% 등 다른 권역보다 만족도가 높았다. 그러나 야간보행의 지역별 만족도는 종로구 26.5%, 중구 33.8%, 동대문구 29.1%로 서울시 도심부는 상대적으로 낮게 나타났다. 서울시의 야간보행환경에 대한 만족도 점수는 10점 기준 2018년 5.57로 2017년 5.68부터 증가하는 형태로 만족도가 높아지고 있지만, 과거 2014년 5.33, 2016년 5.73과는 차이가 크지는 않다.[15]

　　서울시 도심부는 주간의 만족도가 야간보다 높은데 이는 도시가 확장되면서 직장과 주거 사이의 이동이 보편화하면서 주중 주간에는 직장인들로 활성화되지만, 야간은 도심이 공동화되면서 비활성화되고 주말에는 특정 공간만 활성화된다는 사실과도 연결된다. 또한, 주중 주간의 보행은 여가보행보다는 일과 관련된 목적 보행의 경우가 많아 그에 따른 보행환경이 조성된다. 도심부 중에서 보행공간의 만족도는 주간과 야간 모두 중구가 가장 높다. 이러한 결과는 서울의 대표 보행공간이 몰려있는 도심부의 보행환경의 안전도와 여가보행에 필요한 다양한 시설의 부족 등으로 다른 지역과 차별화되는 보행환경이 아직은 조성되지 않음을 나타낸다. 이러한 도심 공간의 공간별 시간별 활용의 차이는 도심부 보행환경의 불안정을 유발하게 된다.

02. 여가 보행의 활성화

도시 공간의 공공성은 건축과 도시에서 열린 공간의 개념이며, 이를 구체적으로 살펴보면 공간의 개방과 공공화, 공공성 확보, 공공성 구현의 주체, 그리고 공공디자인 제공 등으로 설명할 수 있다. 도시 공공성의 공간 중 가장 기초적이며 기본적인 보행공간을 통하여 사람들은 도시의 모든 공간과 연결되고 머무르며 이러한 활동을 통하여 도시 공간은 활성화된다. 보행은 크게 목적보행과 여가보행으로 나눌 수 있는데 필수적인 활동의 목적보행보다는 선택적 활동, 사회적 활동이 많이 발생하는 여가보행과 관련된 공간일수록 공공적이며 사회적인 이익이 많다. 또한, 선택적 활동과 사회적 활동은 필수적 활동과는 다르게 물리적 환경 영향을 크게 받는다.

서울시 도심부는 조선 시대로부터 급변하는 근, 현대의 역사적 환경에 따라서 지속해서 변화하고 발전하였다. 특히 경복궁과 광화문광장을 중심으로 대표적인 중심가로인 종로, 근대역사의 중심인 시청과 을지로, 산업발전의 대표적 상징이었던 청계고가도로와 도심 재개발의 결과인 자연친화성과 지속가능성의 상징인 청계천로와 서울로7017, 그리고 현대건축과 현대 도시 활동의 상징성인 동대문 디자인 플라자(DDP) 등 다양한 시대 산물의 결과들이 쌓여 있다.

서울시 도심부는 근현대에 급속하게 도시가 확장하면서 사용자의 이동이 일반화되어 주중 주간에는 직장인들로 인하여 활성화되지만, 야간은 비활성화되고 주말에는 일부 공간의 활성화에 한정되어 도시 공간 활용의 일상성이 제대로 구현되지 않고 있다. 이러한 도심 공간 활용의 극단적 차이는 도시 환경의 불안정을 유발하게 된다. 이러한 문제를 인식하고 정부는 1991년 민간부문의 공개공지 확대를 통한 도심지역 보행공간의 공급을 확보했으나 실제 활용하기 어렵고 파편화된 공간의 제공에 머무르고 있다.16) 또한, 기존 서울시 도심부의 다양한 역사적, 문화적 공간들은 단절되고 고립된 경우가 많고 보행 가로체계와 연결되지 못하여 일률적이고 단편적인 방문에 그치는 경우가 많다.

서울시 도심부 가로의 공간체계는 경복궁을 중심으로 동쪽으로 동대문까지 연결되는 직선도로인 종로와 남쪽으로 광화문광장과 서울시청으로 연결되는 세종대로를 중심으로 형성되었고 지속해서 변화하여 현재와 같은 격자의 직선 가로체계가 형성되었다. 동서방향은 5.84Km의 긴 가로인 경복궁에서 북촌을 거쳐 창경궁으로 이어지는 옛길과 종로, 을지로, 퇴계로, 그리고 여러 개의 시각적 축선이 다양한 가로로 형성되어 있는 청계천로가 있다. 남북방향의 가로는 동서방향에 비해 상대적으로 짧게 형성되었는데 가장 긴 세종대로(광화문)는 경복궁에서 서울시청까지 직선으로 진행하다 남대문, 서울역, 그리고 한강으로 진행 방향이 변화한다. 돈화문로/충무로(종로3가)와 대학로/동호로(동대문) 등 다른 가로들은

직선으로 진행하다 남산길에 의하여 경계 지워져서 보행의 단절이
나타난다.

공간구문론(Space Syntax)을 이용한 가로체계 공간구성의
분석으로 도심부 보행환경의 공간구성을 파악할 수 있다. 공간구문
론은 1984년 영국의 힐리어(Hillier)와 핸슨(Hanson)에 의하여 개
발한 정량적 공간분석 이론이다.[17] 공간구조의 위상에 따른 분포
양상을 나타내는 공간구문론은 도시 내 공간의 이용 유형과 연관
되며 분석 요소들은 연결도, 통합도, ERAM(3) 등이다. 연결도는
특정 공간에 직접 연결된 주변 공간들의 개수를 나타내며 연결도
가 높은 것은 주변의 공간들과 많이 연결되어 있음을 의미한다. 통
합도는 전체 공간체계에서 특정 공간에 접근할 수 있는 공간의 접
근도이며 통합도가 높을수록 공간구조 측면에서 중요도와 중심공
간으로 접근할 수 있는 경우의 수가 많은 공간이다. 통합도 수치상
으로 1.0 이상이면 통합도가 높아 접근성이 좋고 중심공간으로 평
가할 수 있으며 0.6 이하이면 접근이 적은 공간으로 판단한다.[18]
연결도, 통합도와 함께 공간 연결 관계에 따른 이동분포를 확률적
인 측면에서 다루는 분석방법인 ERAM(Eigenvector Ratio
Adjacent Matrix)은 이동의 확률적 분포 양상을 통한 공간의 이동
분포와 보행량 예측에 이용되며 ERAM(3)이 보행빈도를 가장 잘
예측하는 변수이다.[19]

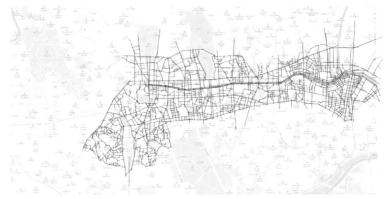

서울시 도심부 지도

서울 도심부 동서방향의 가로는 여러 직선 축으로 구성되어 있어 구역별로 차이가 나지만 전반적으로 종로와 을지로가 높게 나타나 중심가로임을 알 수 있다. 청계천로는 종로와 을지로 사이에서 보행이 분산되는 가로이다. 그러나 동서방향의 가로들은 가로가 긴 특성이 있어 대중교통의 접근이 용이한 가로초입인 세종대로, 중간은 돈화문로/충무로, 끝부분은 장춘단로/율곡로에서 주로 연결과 이동이 되며 동서방향의 거리 전체를 보행하기보다 일정 거리를 보행하고 주변의 대중교통을 이용하여 원하는 곳으로 이동하는 체계이다.

도심부 주요 가로 중 목적보행을 위한 가로는 상대적으로 연결도가 높은 동서방향의 종로와 을지로, 남북방향의 세종대로와 창경궁로 등이다. 사회기반시설물의 지속가능한 재생을 통한 보행 가로체계를 형성하는 청계천로와 서울로7017은 도심부의 동서방향을 종로쪽과 서울역쪽에서 연결하여 기본 보행로를 완전히 재편한다. 그럼에도 불구하고 도심부 전체 가로체계는 여전히 종로와 을지로, 세종대로를 중심으로 큰 변화가 없다.

공간구문론을 이용한 서울시 도심부 보행공간 분석 결과에서 일반적으로 통합도 1.0 이상이면 접근성이 좋고 중심공간으로 평가하는데, 서울시 도심부 가로공간의 연결도 평균값은 3.122로, 동서가로에서 종로는 14.3으로 높았고 청계천로는 7.4-11.8로 상대적으로 낮았고 남북방향은 우정국로/남대문로와 삼일대로가 유사하게 나타났다. 서울시 도심부 가로체계는 통제도 1.000, 통합도 0.861, 통합도(3) 1.659, ERAM(3) 1.000으로 주간과 야간, 주중과 주말과 같이 다른 시간대의 특성을 반영하지는 못하지만, 기본적으로 동서방향의 대로와 남북방향 가로들의 격자 구조로 어느 공간이든 편리하게 접근할 수 있으며, 서울시 도심부 주요 가로는 공간구조로 인하여 보행의 문제가 발생하지 않음을 알 수 있다. 보행빈도를 나타내는 ERAM(3)은 동서방향으로는 종로, 남북방향으로는 돈화문로/충무로에서 대학로/동호로까지 높고 청계천 하상도로와 서울로7017은 낮게 나타나 다른 곳에 비하면 보행빈도가 낮다는 것을 알 수 있다.

서울 구도심 공간구문론 분석 결과

분석요소	결과	평균값
연결도 (Connectivity)		3.122
통합도 (Integration)		0.861
부분 통합도 (Integration 3)		1.659
ERAM(3)		1.000

서울시 도심부 주요 가로의 통합도는 1.247-1.797로 접근성이 좋은 것으로 나타났다. 동서방향의 긴 가로들은 남북방향의 가로들로 연결되고 구획되는데 그중 세종대로, 돈화문로/충무로, 창경궁로, 대학로/동호로가 상대적으로 연결도와 통합도가 높게 나타났다. 그러나 긴 가로 특성상 동서방향의 가로들은 대중교통의 접근이 용이한 가로초입인 세종대로, 중간은 돈화문로/충무로, 끝부분은 장춘단로/율곡로에서 주로 연결과 이동이 되며 동서방향의 거리 전체를 보행하기보다 일정 거리를 보행하고 주변의 대중교통을 이용하여 원하는 곳으로 이동하는 체계이다. 도심부 주요 가로들의 접근성이 좋다고 하더라도 목적보행을 위한 가로는 상대적으로 연결도가 높은 동서방향의 종로와 을지로, 남북방향의 세종대로와 창경궁로 등이다.

선택적 활동과 사회적 활동이 중심이 되는 여가보행의 경우 연결도가 높고 통합도가 놓은 곳은 오히려 혼잡하고 유동인구가 많아 선호되지 않는다. 서울 구도심의 청계천로 남, 북과 청계천 하상도로가 상대적으로 낮은 연결도(7.4), 적절한 통합도(1.247), 그리고 보행빈도 ERAM(3)는 낮은 값(1.537)으로 나타나서 여가보행에 적절한 공간으로 나타났다. 청계천로는 상부도로와 하상도로에서 연결도 차이가 나타나서 청계천 북로는 목적보행을 위한 가로로, 청계천 하상도로는 여가보행을 위한 공간구조임을 알 수 있다.

서울 도심부 공간분석론 분석 결과

가로	연결도	통제도	통합도	부분통합도	ERAM	ERAM(3)
종로	14.3	3.953	1.665	3.278	13.280	5.995
청계천_북	11.8	3.530	1.568	3.049	8.494	4.490
청계천_하상도로	7.4	3.046	1.247	2.278	1.841	1.537
청계천_남	9	2.651	1.467	2.845	5.864	3.205
을지로	11.5	3.126	1.613	3.029	8.394	4.393
세종대로(광화문)	11.5	2.829	1.413	3.108	10.823	4.745
의정국로/남대문로(종각)	9	2.160	1.386	2.978	6.150	3.228
삼일대로(종로2가)	10	2.705	1.388	3.003	6.955	3.548
돈화문로/충무로(종로3가)	16	3.089	1.663	3.586	16.268	7.173
창경궁로(종로4가)	21	7.356	1.780	3.494	14.709	7.300
대학로/동호로(종로5가)	17	3.951	1.797	3.616	13.170	7.448
장춘단로/율곡로(동대문)	8	2.495	1.538	2.824	1.627	2.362

서울시 도심부 전체 가로체계의 연결도 평균값은 3.499으로 모든 가로의 접근성이 좋은 것으로 나타났고 가로체계에 따른 연결도는 동서방향에서 종로가 14.3으로 높았고 청계천로는 7.4-11.8로 상대적으로 낮았으며, 남북방향은 우정국로/남대문로와 삼일대로가 낮게 나타났다. 전체 가로체계의 통합도는 1.162로 모든 가로의 접근성이 좋은 것으로 나타났으나 청계천 하상도로는 낮은 값이 나타났다. 남북방향 가로의 연결도와 통합도는 가로에 따른 차이가 커서 우정국로/남대문로와 삼일대로는 상대적으로 낮고 세종대로, 돈화문로/충무로, 그리고 대학로/동호로가 높게 나타나서 접근성이 좋으며 중심공간임을 알 수 있다. 보행량과 관계가 깊은 부분통합도인 통합도(3)은 동서방향의 종로와 을지로, 남북방향의 세종대로와 돈화문로/충무로에서 대학로/동호로에서 가로가 연결되는 곳이 높아서 많은 보행자가 이용하는 것으로 나타났다. 보행빈도를 나타내는 ERAM(3)은 동서방향으로는 종로, 남북방향으로는 돈화문로/충무로에서 대학로/동호로까지 높고 청계천 하상도로는 낮게 나타나 청계천로에서 보행빈도가 낮다는 것을 알 수 있다.

또한, 공간분석결과 동서방향의 종로, 청계천로, 을지로는 전체 가로가 5km가 넘는 긴 도로이며 가로영역마다 연결도, 통합도, ERAM(3) 결과에 차이가 나는데 종로는 전체 가로에서 광화문 쪽이, 청계천로와 을지로는 전체 가로 중 중간지점인 종로3가, 종로4가, 종로5가 쪽이 높게 나타났다. 그리고 남북방향의 가로들이 동서방향의 가로 중간을 연결하면서 연결도와 통합도 값이 크게 나타나서 직선 가로의 격자 형태를 이용하여 자연스럽게 가로의 이동이 가능한 공간구성이며 서울시 도심부 보행자거리인 종로의 청진구역 지하보행로(피맛길), 청계천길, 그리고 을지로 골목을 연결하는 공간구성이 형성됨을 알 수 있다.

03. 사회기반시설물의 지속가능한 재생

　서울 도심부에 있는 보행로이면서 역사적, 사회적, 환경적인 의미가 큰 보행공간인 청계천로와 서울로7017 등 사회기반시설물의 지속가능한 재생을 통한 다양한 공간적, 시간적 궤적의 도시 경관들을 연결하는 가로체계 및 보행환경을 분석하여 서울 도심부의 보행 활성화 가능성을 살펴본다.

　서울시 도심부 가로의 공간체계는 경복궁을 중심으로 동쪽으로 동대문까지 연결되는 긴 직선도로인 종로와 을지로, 여러 개의 시각적 축선이 다양한 가로로 형성되어 있는 청계천길 등으로 구성된다. 도심부 동서방향의 가로는 여러 직선 축으로 구성되어 있어 전반적으로 접근성이 좋고 높은 연결도와 통합도를 가지는 목적보행용 가로는 상대적으로 연결도가 높은 동서방향의 종로와 을지로, 남북방향의 세종대로와 창경궁로 등이다. 이와는 다르게 청계천길은 상, 하부의 입체적 공간이며 도심부 유일한 수공간을 다양한 다리들로 연결된 지상도로와는 별도의 하천 보행의 연속성을 형성한다. 또한, 청계천길은 긴 가로 특성상 거리 전체를 보행하기보다 일정 거리를 보행하고 주변의 대중교통을 이용하여 원하는 곳으로 이동하는 체계로, 대중교통의 접근이 용이한 가로초입인 세종대로, 중간은 돈화문로/충무로, 끝부분은 장춘단로/율곡로에서 주로 연결과 이동이 되며 격자의 직선 가로체계를 형성한다.

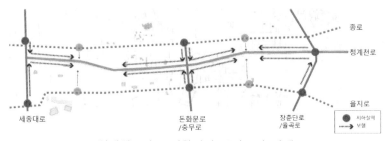

청계천로와 주변환경의 공간구성 관계

종로와 을지로가 목적보행을 위한 가로인 데 비해 도심부 여가보행의 대표적인 거리인 청계천로를 공간구성의 측면에서 살펴보면, 우선 청계천로는 상부도로와 하상도로로 나누어서 청계천 상부도로는 목적보행을 위한 가로로, 청계천 하상도로는 여가보행을 위한 공간구조이다. 하상도로는 지상의 보행을 중심으로 단조로운 건물의 가로경관 위주인 보행공간과는 다르게 가장 낮은 레벨의 수공간인 천변 레벨인 보행거리의 조경요소와 조형물, 천변과 지상 보행간의 수직벽을 이용한 벽화, 지상공간을 연결하는 다양한 다리들, 필로티와 테라스 공간, 그리고 건물 옥상의 전망대 등 다양한 공간과 수직적 연결, 다리 등을 통한 수평적 연결[20] 등 보행자의 선택적 활동과 공간의 체험이 가능한 곳이다.

청계천로 단면 다이어그램[21]

또한, 청계천로는 서울 구도심에서 유일한 하천이며 수공간의 특징인 연속성으로 인하여 보행이 주요한 이동방식인 보행자 전용도로이다. 청계천로 보행환경 만족도 연구 결과를 보면 방문목적은 산책, 주요 이용 교통수단은 지하철이 가장 높고, 보행환경 평균 만족도는 3.32로 보통 이상이다[22]. 보행환경의 만족도를 높이기 위해서는 청계천로의 가로체계에 의한 공간구성과 더불어 일상생활의 필수적 활동보다는 다양한 경험과 사회적 접촉의 기회가 되는 건물 용도와 선택적 활동의 제공이 필요하다. 구체적으로 다양한 건물용도, 이벤트 및 활동, 선호하는 체험의 종류, 그리고 머무름을 가능하게 하는 시설물 등의 보행환경 조성과 함께 도시의 주간경관과 야간경관은 공동화되는 도심의 공간에 방문객을 모으고 도시의 심미적 정서를 통하여 도심부의 공공공간의 활용도를 높일 수 있다.

대부분 보행공간은 가로를 제외하고는 공간경계의 한계와 연속적이지 못한 한계가 있다. 청계천 상부 보행공간은 좁은 도로와 기능적 교량, 복잡한 교통과 상가 관련 차량들로 인하여 여가보행이 발생하기 어려운 환경이다. 그에 비하여 청계천은 수공간의 특징인 연속성으로 인하여 보행이 필수적인 공간이며 청계천 하상도로는 보행자 전용도로이다.

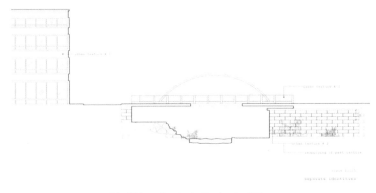

청계천로와 주변 환경 단면[23]

서울시 도심부의 대표적인 경관인 청계천로 보행환경 만족도 분석의 연구 결과를 보면 표본 빈도분석 결과 연령대는 20대, 직업군은 화이트칼라, 방문목적은 산책, 주 이용 교통수단은 지하철이 가장 높은 수치를 나타냈고, 보행환경 평균 만족도는 3.32로 보통 이상이었으며 휴게편의시설 배치의 만족도는 2.79로 유일한 보통 미만이었다.[24] 옥외광고와 주변 경관과의 조화와 보도구조의 연령별 만족도는 차이가 나며, 향후 청계천로를 재방문할 경우 1순위의 이유로 청계천로와 주변 경관이 좋아서가 51%로 나타나서 청계천 방문자들이 경관을 상대적으로 중요하게 생각하며 이는 경관 항목에 대해 향후 더 많은 정책적 고려가 필요함을 나타낸다고 할 수 있다. 이러한 만족도를 공간구성의 측면에서 살펴보면, 다양한 수직적 레벨 차이로 인한 입체적 보행, 도심부 유일한 수공간과 수공간을 연결하는 다리들, 다양한 연속적 공간과 문화 체험 등을 들 수 있다.

청계천로는 서울시 다른 가로들과 다른 공간구성의 특징들이 나타나는데, 첫째로 지상의 보행을 중심으로 단조로운 건물의 가로경관 위주인 보행공간과는 다르게 청계천 수직공간의 특징은 가장 낮은 레벨의 수공간인 천변, 분수, 돌다리, 천변 레벨인 보행거리의 다양한 바닥 패턴, 조경요소, 조형물, 천변과 지상보행간의 수직벽을 이용한 벽화, 지상공간을 연결하는 다양한 다리들, 주변 건물들과의 공간 관계를 형성하는 필로티나 테라스 공간, 그리고 건물 옥상의 전망대 등 다양한 공간을 이용하여 보행자의 선택적 활동이 가능하다. 또한, 청계천로는 도심부에서 유일하게 수직적 레벨의 차이가 나타나는 곳이며 서로 다른 레벨을 이용하여 수직적 연결, 다리 등을 통한 수평적 연결[25] 등 다양한 공간의 체험이 가능한 곳이다.

청계천로 다리

모전교	광통교	광교	장통교	삼일교	수표교
관수교	세운교	배오개다리	새벽다리	마전교	나래교
버들다리	오간수교	맑은내다리	다산교	영도교	황학교
비우당교	무학교	두물다리	고산지교		

서울시 도심부 중 광화문과 세종대로는 경복궁, 덕수궁 등 조선 시대 유산들, 서울시청 도서관, 교회 등 근대역사 유산들, 공공기관, 현대 미술관, 고층 사무실과 주거시설 들이 분포되어 있으며 도심부에서 방문객들이 가장 많은 곳이기도 하다. 그러나 방문객들의 활동이 주로 주간에 이루어지며 명소 간 거리가 멀어서 여러 명소를 보행으로 다니기보다는 주요 명소를 중심으로 이동하는 경향이 있다. 또한, 지금까지 서울시 도심부는 여가보행이 중심이 아니라 대부분 필수적 활동에 수반되는 목적보행이며 이에 맞는 보행환경이 조성되었다.

또한, 필수적 활동은 물리적 환경에 영향을 적게 받으므로 지금까지 서울 도심부의 보행공간은 물리적 환경 조성에 적극적이지 않았다. 최근 선택적 활동과 사회적 활동의 요구가 늘어나면서 보행환경이 개선되었지만, 기존의 도심부는 경제적, 사회적 이유로 보행공간의 제공에 한계가 있을 수밖에 없다. 보행공간인 광장과 도심공원은 도심부에 일정한 구역에 집중되어 있어 도심부 보행공간의 확보를 위하여 청계천 고가도로의 철거와 청계천로, 서울로7017은 매우 중요한 공간이다. 또한, 서울로7017은 청계천로와 다르게 기존의 사회기반시설물인 고가도로를 그대로 유지한 채 조경과 일전 부분의 건축과 동선의 보강을 통해 새로운 보행가로와 보행환경을 제공한다.

서울시 도심부에 위치하는 근대사회의 산물인 사회기반시설물 청계고가도로와 서울역 고가도로는 서로 다른 방법을 이용하여 지속가능한 재생을 시도하였다. 청계고가도로는 철거하고 원래의 청계천 복원과 청계천 하상도로로, 서울역 고가도로는 기존의 고가도로를 유지한 채 용도를 보행과 선형공원으로 전환하였다. 두 가지 방법은 완전히 다른 접근법이지만 도시의 지속가능성의 관점에서 본다면 보행가로체계 구축과 그로 인한 보행 활성화 효과는 긍정적이다.

서울시 도심부 보행공간은 주중 낮의 목적보행을 기준으로 한다. 그러나 여가보행은 상대적으로 주간보다 야간이, 주중보다 주말이 중요하다. 여가보행을 위한 가로체계는 연결성, 통합도가 높은 중심공간이며 쉬운 접근성보다는 상대적으로 낮은 연결성과 통합도의 머무를 수 있는 공간구조가 중요하다. 또한, 일상생활의 필수적 활동보다는 다양한 경험과 사회적 접촉의 기회가 되는 건물용도와 선택적 활동의 제공이 필요하다.

이러한 가로공간의 분석은 주간과 야간, 주중과 주말과 같이 다른 시간대의 특성을 반영하지는 못하지만, 기본적으로 서울시 도심부 가로체계는 동서방향의 대로와 남북방향 가로들의 격자 구조로 어느 공간이든 편리하게 접근할 수 있다는 것을 알 수 있으며, 서울시 도심부 주요 가로는 공간구조로 인하여 보행의 문제가 발생하지는 않으며 오히려 다양한 건물용도, 이벤트, 선호하는 체험의 종류, 그리고 머무름이 가능하게 하는 시설물 등의 보행환경 조성이 중요함을 알 수 있다.

For the relationship between pedestrian environment and spatial configuration through space analysis in Seoul city center, literature review and investigation on characteristics of urban spatial composition in publicness, walkability, and pedestrian environment have been conducted. The pedestrian roadside system with space syntax to derive the characteristics of pedestrian space in Seoul old city center have been analyzed.

The result of this research can be summarized as followed. First of all, the main roads for walking on purpose with high connectivity, high integration, and high ERAM(3) in Seoul city center are Jongro and Euljiro in the eastwest direction, and Sejongdaero(Gwanghwamun), Donwhamunro/ Chungmuro (Jongro 3 ga), and Daehakro/ Donghoro (Dongdaemun) in the southnorth direction. The second one is that Cheonggyecheon waterside road with low connectivity, high integration, and low ERAM(3) is for leisure walking and staying. The third one is that the spatial configuration of roadside system reveals that pedestrian use public transportation nodes on Sejongdaero (Gwanghwamun), Donwhamunro/ Chungmuro (Jongro 3 ga), and Daehakro/ Donghoro (Dongdaemun) in Jonro and Euljiro to

Cheonggyecheonro for leisure walk and it can be a block type pedestrian way.

Based on the result of analysis, the connections of Cheonggyecheon waterside pedestrian road with Jongro and Euljiro in Sejongdaero (Gwanghwamun), Donwhamunro/ Chungmuro (Jongro3 ga), and Daehakro/ Donghoro (Dongdaemun) can be improved pedestrian leisure walk for the walkability. Through this network, isolated and static spaces can be changed to continuous and dynamic places, and sustainability through urban regeneration will be generated in Seoul old city center.

04. 사회기반시설물 활용 도심부 보행공간 활성화

현대 사회는 도시인의 기본권인 도시 공간 내 건축의 공간적, 사회적, 문화적 공공성 실현이 기본적 방향으로 제시되는 등 공공성의 개념과 인식의 변화에 따른 사회적 관심이 높아지고 있다. 도시 공간의 대표적인 공공공간은 가로와 광장, 그리고 공원 등 보행을 위한 공간이다. 보행공간은 도시 내 필수적 활동인 이동에 목적을 둔 목적보행과 함께 도심부에 여가보행과 머무름을 통해 도시 생활의 만족과 질적 수준을 높이는 환경을 제공한다. 또한, 신(2009)의 연구에 의하면 도시 관광에 가로경관과 보행환경이 중요한 요소가 된다. 이러한 보행공간은 보행환경의 물리적 요소들인 가로환경, 네트워크 환경, 지역의 도로체계 등으로 구성되는 도시의 문화와 일상이 담긴 경험과 분위기를 만드는 구성 요소이다(박 외 3인, 2006).

최근 사회기반시설물의 보행환경으로의 전환을 통하여 도시재생과 함께 보행환경을 제공하는 사례가 나타나고 있다. 기반시설물의 재생 사례로는 파리의 라 프롬나드 플란테(La Promenade Plantée), 필라델피아의 리딩 비아덕트(The Reading Viaduct), 싱가포르의 그린 코리도어(The Green Corridor) 등을 들 수 있다. 그와 함께 도심부 재생사업의 대표적 사례인 뉴욕의 하이라인 파크(High Line Park)는 맨해튼의 12번가에서 30번가까지 확장되어, 첼시(Chelsea) 지구를 거쳐, 로어 웨스트 사이드(Lower West

Side)에서 운행되었던 1.45마일의 고가 화물 노선을 선형공중공원
으로 재이용한 장소이다.

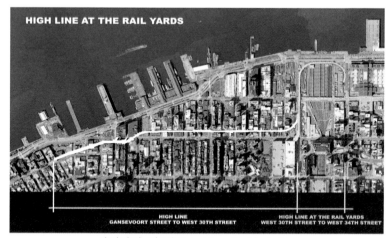

하이라인 파크(High Line Park), 뉴욕

　　보행환경과 행태 연구(오와 이, 2014)에 의하면 서울시 도심
부는 자동차 중심의 필수적 활동과 목적보행 중심이 되고 야간과
주말에는 특정 시간과 공간 중심의 여가보행에 머문다. 이 문제를
해결하고자 1991년 정부는 건축법 개정을 통한 민간 공개공지 확
대 정책으로 도심지역 보행공간의 공급을 확보하려고 했으나 현실
적 활용성이 낮아 파편화된 공간의 제공에 그친다(민 외 2인,
2018). 그 결과, 서울시 도심부는 도시의 역사적 변화에 따라 발전
하여 국가상징 거리인 경복궁과 광화문광장, 전통적 중심가로인 종
로, 근대역사의 중심인 시청과 을지로, 산업발전의 상징이었던 도

심부 고가도로, 자연 친화성과 지속가능성의 도심 재개발 사례인 청계천로와 서울로7017, 그리고 현대건축과 도시 활동의 중심인 동대문 디자인 플라자(DDP) 등 다양한 시대의 산물이 지층화되어 있음에도 불구하고 서울시 도심부의 다양한 역사적, 문화적 공간들은 단절되고 고립된 상태가 되고 방문객들은 일률적이고 단편적인 방문에 그친다. 서울시는 2005년에 청계고가도로를 철거하고 청계천을 복원하였고, 2017년에는 서울역 고가도로를 유지한 채 보행로 조성이라는 서울로7017을 통해 새로운 보행환경을 제공하였다.

도심부에서 가로공간과 보행공간으로 구성하는 보행환경은 도로와 철도의 재생으로 인해 그 사회적, 산업적 변화가 나타난다는 연구가 활발히 진행되었다. Doyle & Havlick(2009)는 도심부 사회기반시설물을 분류하고 현황과 주변에 주는 영향력에 관해 연구하였다. 도로와 철도와 같은 교통과 관련된 시설물을 중심으로 연구한 결과 서양은 기반시설물이 19~20세기 급속히 증가하다가 대부분 중단된다. 파리의 라 프롬나드 플란테(La Promenade Plantée)를 연구한 Heathcott(2013)는 사회적, 경제적, 도시적 재생의 성공은 정부와 시민의 결합이 필요하며 낙후된 도심 기반시설의 재생은 젠트리피케이션을 유발하여 기존 거주자 구성의 변화를 초래한다고 하였다. 또한, Lynch(1984)는 선형공원을 도시의 개방 공간(Open space)으로 보고 일반적 특성과 도시에 어떻게 위치하는지 설명하였다. 최와 최(2019)는 뉴욕 하이라인 파크와 서울로 7107의 공간구조와 주변 환경의 관계를 비교하였다. 청계천로와 서울로7017은 서울 도심부의 도시기반시설물인 차량 전용 고가도로에서 보행공간으로 변화하면서 산업시대 사회기반시설물 재생의 대표적 사례가 되었다.

서울로7017은 기존 차량용 서울역 고가도로를 보행용 전용 가로체계가 재활용되면서 퇴계로의 회현역에서부터 분리되어 만리동까지 입체 보행전용도로로 개선되었다. 이 지역은 격자구조의 도심부 가로체계와는 다르게 서울역 로터리를 중심으로 하는 방사선 가로체계이다. 서울역 전면부는 북쪽으로 세종대로, 남쪽으로 한강대로, 동쪽으로 퇴계로, 서쪽으로 통일로로 구성되며 서울역 후면부는 남북방향의 청파로, 동서방향으로 만리재로, 서소문로, 칠패로로 구성되며 서울로7017이 서울역 전, 후면부를 동서방향으로 가로지른다.

서울로7017 공간분석 결과, 주변 가로공간의 연결도 평균값은 2.484이며 통합도는 서울 도심부 전체 평균값인 0.861보다 낮은 0.740, 부분통합도는 1.283, 보행빈도 ERAM(3)은 0.430으로 모든 분석 항목에서 도심부 지역 평균보다 낮은 것으로 나타났다. 또한, 지역 내에서의 공간분석 결과 연결도는 퇴계로가 가장 높았다. 통합도와 ERAM(3)은 동서방향으로는 퇴계로, 남북방향으로는 통일로에서 높고 서울로7017와 세종대로는 상대적으로 낮다. 이 지역은 종로, 퇴계로 등 다른 지역에 비해 기본적으로 접근성이 좋지 않고 이용자와 보행빈도가 적은 공간구조임을 알 수 있다.

서울로7017 공간구문론 분석 결과

요소	결과 (빨강이 접근성과 통합도가 높음)	평균
연결도 (Connectivity)		2.484
통합도 (Integration)		0.740
부분 통합도 (Integration(3))		1.283
ERAM(3)		0.430

서울역 주변의 가로체계는 전면부 서울역 교차로와 후면부 서울역 서부교차로를 중심으로 방사선 구조를 이루며 두 교차로를 서울로7017이 가로지르는 구성으로 되어있다. 그중 서울로7017의 연결도는 2.4, 통합도는 0.791, 부분통합도는 1.457, ERAM(3)는 0.493로 서울 도심부 전체 평균값보다는 낮으나 지역의 평균값보다 약간 높다. 또한, 서울로7017은 회현과 서울역 전, 후면을 직접 가로지르는 동선의 지름길 역할을 하는 유일한 목적보행 동선 역할을 하는 가로체계이다.

서울로7017은 여가보행을 위한 선형공간으로 구성되었으나 여가보행뿐만 아니라 목적보행이 발생하는 곳으로 주중 주간에는 서울역 주변의 사용자들이 목적보행에 이용하고 다른 시간에는 여가보행의 역할을 동시에 맡고 있다. 그러므로 공간분석의 결과값이 전체 도심부보다는 낮지만 지역 내에서는 평균 이상인 것은 이러한 상황이 반영된 결과로 추론할 수 있다. 여가보행의 가로체계는 쉬운 접근성과 함께 상대적으로 낮은 연결성과 통합도의 머무를 수 있는 공간구조가 중요하다. 서울로7017은 퇴계로, 서소문로, 칠패로, 통일로 같은 목적보행의 가로와 달리 낮은 연결도, 적절한 통합도, 낮은 ERAM(3)으로 선택적 활동과 사회적 활동이 주가 되는 여가보행에 적절한 공간으로 나타났다.

서울시 도심부는 경복궁, 덕수궁 등 전통건축물, 서울 도서관, 시의회 등 근대역사 유산, 현대 미술관 등 문화시설, 공공기관,

고층 사무실과 전통 주거시설들이 있어 이용자가 많은 곳이다. 그러나 방문객들은 여러 곳을 보행으로 활동하기보다는 주요 시설을 살펴보고 다른 교통수단을 이용하여 다음 목적지로 이동하는 경향이 있다.

서울시 도심부 보행공간은 주로 주중 낮의 목적보행과 일상생활의 필수적 활동이 기준이며, 여가보행은 상대적으로 야간과 주말 시간에 다양한 경험과 사회적 접촉의 기회가 되는 선택적 활동의 제공이 필요하다. 최근 선택적 활동과 사회적 활동의 요구가 늘어나면서 서울 도심부 보행환경이 개선되었지만, 기존의 도심부는 경제적, 사회적 이유로 보행공간의 제공에 한계가 나타난다. 또한, 보행공간인 광장과 도심공원은 일정한 구역에 집중되어 있어 도심부 보행공간의 확보를 위하여 사회기반시설물인 청계천 고가도로의 철거와 청계천로의 복원과 서울역 고가도로를 서울로7017 등 지속 가능한 재생을 통해 보행가로체계 구축에 매우 상징적인 공간이 되었다. 여가보행을 위한 가로체계는 상대적으로 낮은 연결성과 적절한 통합도의 공간구조가 중요한데, 청계천로와 서울로7017은 공간구문론의 공간구조 특성과 함께 지상 레벨과 다른 수직적 차이와 연속적인 선형보행공원 등 여가보행에 적절한 공간구조의 특성이 나타난다.

서울로7017은 청계천로와 다르게 기존의 사회기반시설물인 고가도로를 그대로 유지한 채 645개의 화분과 24,085 그루의 조경, 8개 소규모 건축, 보행동선의 보강을 통해 새로운 보행가로와 도시전망 등 다양한 보행환경을 제공한다. 그 결과 지상 고가 수준에서의 여가보행과 함께 기존의 회현과 서울역 간 우회 보행 동선에서 직진하게 하는 목적보행을 동시에 발생하게 한다. 고가도로의 특성으로 인하여 주변환경과 연결성이 양쪽 끝에 집중되어 있어 보행로의 선택이 적다.

서울시 도심부에는 근대사회의 산물인 사회기반시설물 청계고가도로와 서울역 고가도로를 서로 다른 방법을 이용하여 지속가능한 재생을 시도하였다. 청계고가도로를 철거하고 원래의 청계천 복원과 청계천 하상도로로, 서울역 고가도로는 기존의 고가도로를 유지한 채 용도를 보행과 선형공원으로 전환하였다. 각 방법은 완전히 다른 접근법이지만 도시의 지속가능성의 관점에서 본다면 보행가로체계 구축과 그로 인한 보행 활성화 효과는 긍정적이다. 분석 결과, 새로운 보행 가로체계를 형성하는 청계천로와 서울로7017은 도심부의 동서방향의 종로-을지로지역과 서울역-퇴계로지역의 보행체계를 재편한다. 그러나 도심부 전체 가로체계는 여전히 종로와 을지로, 퇴계로를 중심으로 유지되며 이는 새로운 보행체계가 주로 목적보행보다는 여가보행으로 이용된다고 할 수 있다.

서울시 도심부는 청계천로의 수공간 보행, 서울역 중심의 서울로7017을 중심으로 다양한 전통공간과 문화유산과 광화문광장, 야간활동이 가능한 동대문 시장, 다양한 선택적 활동들의 연계가 가능하다. 이는 다양한 도심부 경관으로 구성된 공간구조를 연결하는 네트워크의 관계성을 통하여 특별한 행위자 경험이 가능한 위상학적인 공간을 창출할 수 있음을 의미한다. 기존의 점적인 요소인 도시경관에 선적인 보행을 연결하여 연속성을 부여하면 행위자의 경험도 정적 활동에서 동적인 활동으로 전환하게 된다. 또한, 사회기반시설물의 지속가능한 재생은 기존의 철거와 신축이라는 이분법적 사고에서 벗어나 도시 유산을 재활용하여 한국의 전통, 도심의 생태하천, 도시의 선형 조경 공원, 그리고 현대건축과 야간 쇼핑 등 보행과 다양한 도시를 경험하는 장을 제공함으로써 보행 공간의 활성화와 공공성의 증가를 가져올 수 있을 것이다.

This study focuses on improving walkability in the city center through infrastructure interventions involving a literature review and research on specific characteristics of urban spatial structure. The analysis employs space syntax and axial maps to extract the distinctive features of pedestrian spaces in the old city area of Seoul, particularly Cheonggyecheonro and Seoullo7017.

The results revealed there were two approaches to improving pedestrian walkability in Seoul city center. One involved demolishing existing highways and regenerating Cheonggyecheon waterside pedestrian road, while the other focused on Seoullo7017, which transforms into a three-dimensional pedestrian space with functional changes. Additionally, quantitative analysis using space syntax revealed that Cheonggyecheonro and Seoullo7017 exhibit low connectivity, integration, and ERAM(3) values. These roads include Jongro in the east-west direction, Sejongdaero in Gwanghwamun, and Donhwamunro/Chungmuro in Jongro3ga, Daehakro/Donghoro in Dongdaemun in the south-north direction. Lastly, Cheonggyecheonro offers spatial characteristics with water spaces on the underground level and a pleasant streetscape for leisurely walks. Seoullo7017 provides a unique cityscape with a three-dimensional pedestrian space aboveground, catering to both leisurely strolls and purposeful walks.

Based on these findings, Cheonggyecheonro and Seoullo7017 can be recommended for enhancing walkability through sustainable infrastructure regeneration. By connecting isolated spaces in the city center through pedestrian networks, a continuous linear park can be established, leading to urban regeneration with a focus on sustainability in Seoul city center.

05. 도시경관과 보행

도시의 역사, 문화자원과 그것을 둘러싸는 도시 환경, 도시 전체의 분위기와 경관은 함께 어우러지며 도시의 인상을 형성하게 된다. 서울시 대표경관은 북한산, 경복궁, 국회의사당, 덕수궁, 여의도, 인사동, 상암월드컵경기장, 광화문, 남대문, 63빌딩, 코엑스, 시청 앞 광장, 서울역 일대, 명동거리, 대학로 일대 등이다. 서울시 대표경관 중 도심부 경관은 청계천, 명동거리, 광화문, 인사동, 경복궁, 시청 앞 광장, 동대문, 남대문, 덕수궁, 서울역 일대 등이다.

서울시 대표경관의 인지 순위

순위	대표경관	비율(%)	순위	대표경관	비율(%)
1	남산	58.3	11	여의도	20.0
2	한강	51.7	12	코엑스	20.0
3	청계천	46.7	13	압구정거리 일대	15.0
4	명동거리	43.3	14	대학로일대	13.3
5	광화문	41.7	15	남대문	11.7
6	63빌딩	40.0	16	덕수궁	10.0
7	인사동	38.3	17	서울역일대	6.7
8	경복궁	31.7	18	북한산	5.0
9	시청앞광장	23.3	19	상암월드컵경기장	5.0
10	동대문	21.7	20	국회의사당	3.3

서울시의 대표경관에 대한 인지 순위 연구에 의하면 남산, 한강과 같은 자연경관이 높은 순위이며 서울시 도심부에서는 청계천이 가장 높은 인지도를 가지며, 하위 10개의 대표경관에서는 비율 간 큰 차이가 없다.[26)]

서울시 도심부의 가로경관은 일반적으로 저층에서 고층건물로 다양하게 구성되어 있다. 광화문과 종각 쪽은 업무시설 위주의 고층건물들이 위치하나 문화재로 인한 앙각 적용이 되는 구역은 건축물 고도제한이 적용되어 건물의 높이 편차가 크게 나타난다. 가로경관 분석에서 나타난 가장 높은 건물은 SK 서린동빌딩으로 지상 36층, 160.2m이다.[27)] 종로와 을지로 등은 고층의 건축물이 분포하나 청계천로는 상대적으로 저층의 건축물이 분포되어 있다. 또한, 도심부는 재개발을 통하여 낙후된 도시 환경을 개선하고 있으며 재개발이 진행된 광화문과 DDP의 가로경관은 상대적으로 우수하며 아직 재개발이 진행되지 않은 구역은 상대적으로 선택적 활동의 여가보행이 적어진다. 청계천로는 지상의 건축 및 가로경관의 특이성은 없으나 청계천 자체의 경관 및 수공간과 관련된 체험으로 인하여 선택적 활동이 발생한다.

서울시 도심부 동서방향 가로경관

가로	가로경관
종로 (북)	
종로 (남)	
청계천 로 (북)	
청계천 로 (남)	
을지로 (북)	
을지로 (남)	

Note: The table above was built up from the author

서울시 도심부 동서방향 가로경관

가로	가로경관
세종대로(서)	
세종대로(동)	
우정국로/남대문로(서)	
우정국로/남대문로(동)	
삼일대로(서)	
삼일대로(동)	
돈화문로/충무로(서)	
돈화문로/충무로(동)	
창경궁로(서)	
창경궁로(동)	
대학로/동호로(서)	
대학로/동호로(동)	

Note: The table above was built up from the author

06. 야간경관과 보행의 연결

가로경관은 야간이라는 시간적 상황에 놓이면 주간에 보이지 않았던 도시 환경이 조명을 통하여 연출되는 인공적인 경관이 나타난다. 야간은 사람들에게 이성보다는 감성적 판단을 하게 하는 경향이 높아 주관적인 가치판단에 의한 개인적인 특성과 관계가 있는 장소성이 만들어진다. 도시의 야간경관은 도시 이미지 구축을 위한 인위적 연출이나 정체성 구축을 위한 주요한 경관 요소이며, 환경의 심미성을 향상시키기 위하여 도시의 특성이 고려되어야 한다. 야간경관은 지역의 장소성과 명소성을 창출하기 위한 주요 구성 요소이다.

서울시 도심의 대표적 야간경관은 경복궁, 덕수궁, 창경궁 등 왕궁 야간 관람, 숭례문, 서울역, 서울 스퀘어 미디어파사드, 청계천로, 반포대교, 그리고 동대문 디자인 플라자(DDP) 등이다. 이 경관들은 서울의 대표 주간 가로경관을 야간에 빛을 이용하여 야간경관으로 전환한 것들이다. 전통건축에 조명을 이용하여 새로운 야간경관을 만들거나 전통건축을 배경으로 미디어파사드를 통하여 동적인 예술작품을 경관에 사용하기도 하였다. DDP나 동대문 쇼핑거리는 수동적인 시각적 경관보다는 일상의 활동을 경관으로 연결한 사례로 특히 동대문 쇼핑거리는 주간보다 야간을 중심으로 형성된 곳으로 야간쇼핑 활동 자체가 야간경관의 역할을 한다.[28]

경복궁 미디어파사드	광화문광장

청계천광장	청계천
DDP	동대문 시장

　　서울시 도심부 보행공간은 주중 주간의 목적보행을 기준으로 한다. 그러나 여가보행은 주중의 야간과 주말의 주간과 야간에 발생하므로 상대적으로 주간보다 야간이 중요하다. 야간의 가로경관

은 주간에 나타나지 않았던 도시 환경이 조명에 따라 연출되는 인공적인 경관이 나타난다.29) 도시의 야간경관은 도시를 주간과 다른 모습으로 연출하여 새로운 가치를 부여하는데 그 중 야간의 공동화되는 도심의 공간에 사람들을 모으고 도시의 심미적 정서를 통하여 시민과 보행자에게 도시의 경관을 제공하고, 야간의 활동을 자극하고 밤 문화를 확장하여 지역의 활용도를 높이는 등 지역 경제에 중요한 역할을 한다. 또한, 가로공간에 공간과 정보인지 등 복잡한 환경에 질서를 부여하여 안전하고 쾌적한 환경을 제공하며, 주관적인 가치판단에 의한 개인적인 특성과 관계가 있는 지역의 장소성과 명소성을 창출하기 위한 주요 구성요소가 된다. 야간경관은 도시 이미지 구축을 위한 인위적 연출이나 정체성 구축을 위한 요소이므로 환경의 심미성 향상을 위하여 도시의 특성이 고려되어야 한다.30) 이는 여가보행자와 경관으로 구성된 행위자들과 이들을 연결하는 네트워크의 관계성을 통하여 다양한 위상학적인 공간을 창출할 수 있다.

점적인 요소인 야간경관에 선적인 보행을 연결하여 야간경관에 연속성을 부여하면 야간의 정적 활동에서 동적인 활동으로 전환하게 되어 야간문화의 활성화를 증진할 수 있다. 이러한 서울시 도심부의 다양한 경험의 장은 리좀(Rhizome)적 연결망을 형성하여 보행의 활동성과 서울 구도심 영역을 포함하고 한국의 전통과 도심의 생태하천 그리고 현대건축과 야간쇼핑 등 보행과 다양한 야간경관을 체험하는 활동의 장이 가능하며 야간 가로경관과 보행의 연결로 보행공간의 활성화와 공공성의 증가를 가져올 수 있을 것이다.

서울 야간경관 특징

야간경관	야간경관 특징			
	형태	성격	위치	성격
홍례문	미디어파사드	동적	구도심	전통/현대예술
덕수궁	미디어파사드	동적	구도심	전통/현대예술
경회루	야간조명	정적	구도심	전통
광화문광장	야간조명	정적	구도심	현대
숭례문	미디어파사드	동적	구도심	전통/현대예술
서울 스퀘어	미디어파사드	동적	구도심	전통/현대예술
반포대교 분수	야간조명	입체	한강	현대
반포지구 세빛섬	야간활동	입체	한강	현대건축
동대문 디자인 플라자(DDP)	야간활동	입체	구도심	현대건축
동대문 쇼핑거리	야간활동	입체	구도심	현대/일상

    서울 도심에 있는 보행로이면서 역사적, 사회적, 환경적인 의미가 큰 청계천로와 한국의 대표적 경관인 광화문광장, 경복궁의 전통과 미디어파사드, 그리고 서울의 현대와 미래를 보여주는 역동성의 DDP와 주변 상업지구 등 다양한 공간적 시간적 서울 도심부의 경관들을 연결한 '경복궁 홍례문 미디어파사드-광화문광장-청계천로-DDP와 동대문 쇼핑거리' 사례는 보행과 다양한 경관의 입체적 결합을 통한 연속적 체험의 장이 가능하다.

제2장 공정한 문화생활

07. 공공 프로그램

08. 문화공간의 시간적, 공간적 관점

09. 문화공간의 사회적 역할

10. 누구나 누리는 문화

11. 도심부 녹지공간 개방

12. 전시공간의 새로운 사회적 역할_프락(FRAC)

제2장　공정한 문화생활

　　도시의 공공 프로그램 중 대표적인 것이 문화공간이다. 공공의 소유물을 전시하고 관람할 수 있는 문화공간은 누구에게나 공정해야 한다. 시간성과 공간성의 집합인 전시공간은 시대에 따라 다양한 사회적 역할을 수행해 왔고 지속해서 변화해 왔다. 일상과 거리가 멀었던 전시공간은 현대 사회에서 시민의 일상과 가장 가까운 헤테로토피아가 되었다.

　　도시 공간의 문화생활은 수동적으로 주어지지 않고 직접 생산, 순환, 소비로 전환하고 있다. 또한, 도심부의 문화공간은 공공의 공간으로 도시 속 물리적인 보이드이기도 하다. 누구에게나 개방된 문화공간과 자유로운 문화생활을 통해 도심부는 다시 재생된다. 그 결과 이전 시대의 역사적 흔적은 이제 새로운 문화의 기회로 전환한다.

07. 공공 프로그램

목적보행을 위한 필수적 활동인 학교나 직장, 쇼핑, 사람이나 버스를 기다리는 등 일상적인 활동에 관련된 건물용도 프로그램은 모든 가로에 분포되어 있다. 선택적 활동인 거리의 쇼윈도우 기웃거리기, 산책로 따라 걷기, 전망대에서 도시의 경관을 바라보기, 햇볕 쬐기 위해 앉아 있기 등은 광장, 조경 및 공원, 수공간, 근린시설 일부 등과 연관된다. 사회적 활동인 사람들과 인사하기, 잡담하기, 아이들의 놀이는 광장과 공원을 중심으로 발생한다.31)

보행공간의 프로그램 관계 파악을 위해 설정한 서울시 도심부 보행공간 건물 용도의 종류 및 분포를 분석하는데 건물 용도는 보행에 직접 관련된 공원, 광장, 공개공지 등 보행공간, 주거시설, 업무시설, 그리고 상업시설 및 근린생활시설로 구분한다. 보행공간의 대표적인 건물용도인 광장은 광화문광장, 청계광장, 한빛광장, 베를린광장, 동대문광장 등, 공원은 청계천이 보이는 쉼터, 보신각공원, 탑골공원, 훈련원공원 등이다. 업무시설은 주로 광화문과 종각 주변에, 문화시설은 광화문 쪽의 현대미술관(MMCA)과 동대문 구역의 DDP 등이, 대규모 시설은 광장시장과 동대문시장, 의료시설은 서울의료원이 분포되어 있으며 이외의 영역들은 대부분 상업시설과 근린생활시설로 구성되어 있다.

서울시 도심부 건물용도

항목	건물용도
전체	
보행공간 (여가보행, 선택적, 사회적 활동)	
주거시설 (목적보행, 필수적 활동)	
업무시설 (목적보행, 필수적 활동)	
상업시설 및 근린생활 시설 (목적보행, 필수적 활동)	

Note: The table above was built up from the author.

서울시 도심부는 대부분 상업시설과 근린생활시설을 중심으로 다양한 건물 용도로 구성되어 있다. 광화문과 세종대로는 경복궁, 덕수궁 등 조선시대 유산들, 서울시청 도서관, 교회 등 근대역사 유산들, 공공기관, 현대 미술관, 고층 사무실과 주거시설 들이 분포되어 있으며 도심부에서 방문객들이 가장 많은 곳이기도 하다. 그러나 방문객들의 활동이 주로 주간에 이루어지며 여러 명소를 보행으로 다니기보다는 주요 명소를 중심으로 이동하는 경향이 있다.

또한, 서울시 도심부는 대부분 필수적 활동에 수반되는 목적 보행이며 이에 맞는 보행환경이 조성되었다. 또한, 필수적 활동은 물리적 환경에 영향을 적게 받으므로 지금까지 서울 도심부의 보행공간은 물리적 환경 조성에 적극적이지 않았다. 최근 선택적 활동과 사회적 활동의 요구가 늘어나면서 보행환경이 개선되었지만, 기존의 도심부는 경제적, 사회적 이유로 보행공간의 제공에 한계가 있을 수밖에 없다. 보행공간인 광장과 도심 공원은 도심부에 일정한 구역에 집중되어 있어 도심부 보행공간의 확보를 위하여 청계천 고가도로의 철거와 청계천로는 중요한 공간이다. 또한, 서울시 도심부의 건물 용도는 선택적 활동과 사회적 활동을 위한 사용자들의 활동과 관련되고 이벤트 및 활동은 크게 3가지 영역으로 나눌 수 있으며 활동들은 주로 청계천로를 중심으로 나타남을 알 수 있다.

서울시 도심부 이벤트 및 활동지도

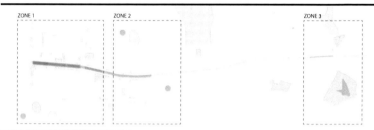

ZONE 1		ZONE 2		ZONE 3	
경복궁 야간개장	경복궁	청계천 빛초롱 축제	청계광장 ~ 수표교	청계천 수상 패션쇼	청계천 오간수교 아래 수상무대
청계천 밤도깨비 야시장	청계천 광통교 인근	인사동길	종로구 인사동	DDP 밤도깨비 야시장	DDP 팔거리
대한민국 과학축제	청계광장 ~ 광교	을지로 노가리 골목	중구 을지로3가		
청계천 디지털 캔버스	청계천 광교 상류				
청계천 디지털 가든	청계천 광교 하류				
북촌한옥 마을	종로구 계동길 37				
덕수궁 돌담길	중구 정동				

08. 문화공간의 시간적, 공간적 관점

현대의 전시공간은 기본적인 역할인 전시대상을 전시, 보관, 그리고 관람이라는 공간적 교류와 지식의 공간화에서 시작하여 현대 사회의 제의적 성격과 관람자들 간의 사회적 교류의 장으로 확장하면서 변화해 왔다.32) 이에 관한 연구는 미술사, 박물관학, 미학, 사회학, 인류학, 그리고 건축학 등 다양한 분야에서 지속적으로 이루어져 왔다.

미셸 푸코는 '말과 사물', '지식의 고고학' 등에서 에피스테메(Episteme)와 같은 시간적 관점으로, '헤테로토피아(Heterotopia)', '다른 공간들' 등에서는 공간적 관점으로 미술관이라는 담론을 고고학과 계보학적 방법론을 통해 도시의 헤테로토피아 즉 차이의 공간으로, 지식의 배치공간으로, 그리고 시선의 권력으로 해석하였다.33) 미셸 푸코에 따르면 19세기의 고정관념은 발전과 순환, 과거의 축적과 미래의 죽음 등 시간의 축을 통해 구성되며, 20세기는 무질서도인 엔트로피의 증가가 바탕이 되는 공간에서 다양한 요소들의 배치로 나타나는 관계의 집합이라고 하였다.34)

미셸 푸코의 시간적 관점은 1960년대 중후반의 에피스테메가 대표적이다. 유럽 혹은 서구의 16세기에서 20세기까지의 역사를 고고학적 방법론을 이용하여 탐구하고 르네상스, 고전, 근대를 구분하는 불연속의 고유한 인식론적 지층을 에피스테메라고 하였다. 이러한 시간적 관점은 한 시대의 인식론적 한계가 한 시대의 지식을 성립시키며 질서 지우는 방법이자 기준이 된다. 즉 각각의 시대는 자신의 진리를 구성하는 방식인 진리 놀이를 갖게 되며 이것이 역사적이며 문화적인 코드가 되며 이 코드는 서유럽이라는 역사적 문화적 문제에 집중하여 서구 사유의 제반 조건을 재검토한다.

미셸 푸코의 시간과 공간적 관점 비교

	시간적 관점	공간적 관점
시기	19세기 역사	20세기 엔트로피
특징	에피스테메 진리 놀이	헤테로토피아 파놉티콘
방법론	기호학, 언어학 고고학	계보학
주체 관계	주체	주체의 조건 바깥
관련 저서	말과 사물 지식의 고고학	유토피아적 신체 다른 공간들 감시와 처벌:감옥의 탄생

　　미셸 푸코는 1960년대 중반 이후 지역과 공간의 중요성을 언급하면서 한 문화의 한계가 되는 영역으로 연구의 분석대상을 1500년 이후 서유럽으로 한정한다.[35] 푸코에게 공간의 개념은 담

론의 형성과 변형을 가능하게 하는 위상학적 분석으로 각 요소가 점유한 위치와 공간의 배치를 통하여 구성되는 효과이다. 이는 동시대의 지배적 사조였던 베르그손주의, 현상학, 실존주의, 그리고 자유주의에 비판적이며 이후 지식과 권력이론의 배경이 된다. 그러나 푸코는 서구문화 이외의 보편적 문화에 대한 가능성에 대해 사유하지 않아서 공간적 사고에 한계가 나타난다.[36]

헤테로토피아로서 전시공간의 형성은 시간적 관점과 공간적 관점에서 파악할 수 있다. 전시공간을 시간과 연관하여 분석하는 관점은 푸코의 에피스테메 개념과 고고학적 접근을 이용하여 르네상스의 희귀본, 고전의 학술원, 근대의 루브르 박물관의 역사적으로 파악하는 것이다. 전시공간 중 미술관과 도서관은 한정된 장소의 무한정한 시간을 포함하는 시간의 총체성이라는 이중적 패러독스에 놓여있다. 이와는 다르게 일시적이고 불안정한 측면의 시간과 연결되는 헤테로토피아인 페스티벌, 페어(카니발), 엑스포, 비엔날레 등은 카니발과 연관되며 희귀한 물건이나 다른 문화의 표본에 투사한 이국적 취향의 전시는 타자성과 미개문화와 문명화된 제국주의의 매개체의 구실을 하였다.[37] 시간적 관점에서의 전시공간 사례인 박물관, 미술관, 도서관과 공간적 관점에서의 전시공간인 엑스포, 비엔날레로 나누어 각 유형의 전시공간, 전시주제, 전시형태, 동선, 공간 성격 등의 특성을 파악할 수 있다.

시간적 관점에서의 전시공간: 박물관, 미술관, 도서관

시간적 관점에서 보는 전시공간은 무한대로 축적된 시간의 헤테로토피아로 요약된다.[38] 전시공간을 시간의 공간으로 정의할 때 시간과 연관된 역사와 에피스테메를 수집품과 전시대상을 이용하여 시간의 총체성을 제시하는데 집중한다. 시간의 총체성 제시는 시간의 절대성이나 보편성과는 상반되는 것으로 역사의 우연성은 근대의 에피스테메와 연관된다.

역사의 시각화는 선형적인 전시형태를 이용하여 대중에게 강제적 이동을 통하여 발전해 온 과거와 현재를 이루게 된 역사적 조건을 확인하는 과정이며 대부분의 국립박물관이 이에 해당한다. 또한, 도서관은 지식과 도서라는 전시 및 교육공간을 통하여 규율의 습득공간이 된다.

시간의 공간으로서 전시공간의 특성

항목	특성
전시공간	시간의 총체성 미술관, 박물관, 도서관
전시주제	역사의 연속성
전시형태	선형적 전시
동선	강제동선
공간성격	통치와 규율의 교육 장소
사례	국립 중앙 박물관(서울)

공간적 관점에서의 전시공간: 엑스포, 비엔날레

전시공간을 공간과 연관해서 보는 관점은 시간상으로는 불연속적인 대상의 병치이며 서로 다른 공간의 타자를 보여주는 자료들의 공간이다. 그러나 이러한 공간은 역사적으로 미개문화를 전제로 하는 제국주의의 우월성을 확인하는 공간이거나 동물에서 인간으로 진화하는 과정의 연결고리로 사용됨으로써 서유럽 중심의 이데올로기 형성에 이용되었다. 그러나 이는 역으로 중심지역이라는 관점에서 벗어나면 차이의 공간이며 타자와 독립적인 자체의 역사를 통하여 다양한 대상의 또 다른 사물과 개념의 차이 공간인 헤테로토피아가 된다. 독립된 공간들은 선형적 강제동선이 아닌 자유롭고 다양한 선택동선을 이용하여 관람할 수 있다.

상이한 대상의 공간으로서 전시공간의 특성

항목	특성
전시공간	불연속적 대상의 병치 페스티벌, 카니발, 엑스포, 비엔날레
전시주제	차이의 공간, 타자
전시형태	독립공간 전시 국가관
동선	선택동선
공간성격	문명화된 제국주의 확인(기존 서양의 관점), 차이를 통한 단일체의 강조
사례	국립 아시아 문화의 전당(광주)

미셸 푸코의 전시공간분석은 기본적으로 도시 내에 일상적인 활동의 공간이나 이상적인 비현실적인 공간이 아닌 현실적이지만 비일상적인 다른 공간인 헤테로토피아로 정의한다. 비일상적인 전시공간은 시간과 공간적 관점에 따라 시간을 전시하는 공간과 다른 공간을 전시하는 공간 두 종류로 나눌 수 있는데, 시간을 전시하는 공간은 한 공간의 연대기를 통한 시간의 총체성을, 다른 공간을 전시하는 공간은 공간적 차이에 따른 대상의 차이를 보여준다.

　　미셸 푸코는 서유럽의 역사를 분석하여 복수의 진리 놀이를 통하여 시간이라는 절대적 보편적 진리의 정치적 역사적 구성임을 밝혀내지만, 문화와 지리적 공간의 관점에서는 칸트의 절대성 관념에 머무는 한계를 드러내고 있다. 그러나 푸코가 공간에 대한 분석이 명확히 이루어지지 않았더라도 기존의 보편적인 진리는 불연속적인 정치적 합의라는 푸코의 시간적 관점은 공간적 관점에도 적용할 수 있다. 그러므로 시간적 관점의 전시공간인 박물관과 미술관은 연속성의 단절을, 공간적 관점의 엑스포나 비엔날레의 전시공간은 다양성의 차이를 보여주는 공간이 될 수 있다. 또한, 푸코는 건축이 대중을 탈바꿈시키기 위한 조작자의 역할을 하며 건축방식은 수용하는 사람들에 대해 영향을 미치고 행위를 지배하여 그들에게 권력의 효과를 행사하고 인식대상으로 만들어 결국 그들을 변화시키는 것이라고 하였다. 이는 전시공간은 시간적 관점에서 권력의 통치와 규율을 습득하고, 공간적 관점에서 다른 지역과 비교우월성과 단일체의 강조와 같은 정치적 관계의 장소가 된다.

09. 문화공간의 사회적 역할

대표적인 공공문화공간인 전시공간은 기본적인 역할인 전시대상을 전시, 보관, 그리고 관람이라는 공간적 배열과 공간구성을 통해 전시대상과 관람자 간의 지식을 교류하는 공간이며, 시각적 지식을 형태화하고 공간화하는 작업공간, 현대 사회의 새로운 제의적 성격이 부여되는 곳, 그리고 공간의 우연성을 이용한 관람자들 간의 사회적 접촉과 교류의 장 등 다양하게 변화해 왔다.[39]

전시공간의 사회적 역할 유형 특성

유형	내용	사례	건축개요
전시	교육목적 강제동선 전시물의 배경	Guggenheim Museum, New York	1937년 원형 아트리움 근대 건축
조망	내부동선 외부조망 자연과의 교류	Louisiana Museum of Modern Art, Humlebaek	1966년 국제 양식 벽돌, 유리, 나무
선택 동선	동선의 선택 개인의 경험	Museum Het Valkhof, Nijmegen	1999년 고고학 예술 전시
사회적 접촉	사회적 접촉 우연성 즉흥적	21st Century Art Museum, Kanasawa	2004년 컨템퍼러리 콘크리트, 유리
도시재 생	도심부 환경 문화유산이용 지속가능성	Tate Modern, London	2000년 산업시설 리모델링

전시공간은 기본적인 기능인 전시 대상물을 전시하는 폐쇄적인 백색 상자(White Box)의 공간에서 시각적 교류를 통한 개방적 공간, 선택적 동선을 통한 자율성, 주변환경과의 연결, 도시재생의 대안 등 다양한 사회적 역할을 수행하는 공간으로 변화해 왔다. 전시공간은 뉴욕 구겐하임 미술관같이 강제동선을 이용한 시각적 교육목적의 폐쇄된 공간에서 새로운 전시공간으로 변화해 왔다. 이러한 사회적 역할변화의 대표적인 공간은 전시공간의 공간구조가 폐쇄적인 내부공간에서 외부의 전경을 내부로 끌어들여 시각적 뷰를 제공하는 Louisiana Museum of Modern Art[40]이다. 미술관은 바다와 녹지 등 자연에 위치하며 내부에서 외부조망과 외부에서 자연 조망을 고려하여 설계하였다.

Louisiana Museum of Modern Art, Humlebaek

UN Studio가 설계한 Museum Het Valkhof[41]는 전시계획의 의도에 맞춰 전시공간의 전통적인 관람동선인 강제동선을 통한 움직임에 따른 교육공간에서 관람객이 스스로 탐색하고 생각하는 선택동선의 자율적인 공간으로 전환하였다. 전시공간은 시각적인 깊이와 그에 따른 공간의 조절에 따라 다양한 전시공간의 체험과 더불어 관람자들 사이의 시각적 접촉이 가능하게 되었다.

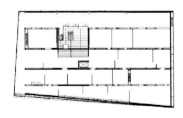

Museum Het Valkhof, Nijmegen

전시공간의 사회적 교류의 장으로 확장되는 사례로 SANAA의 21st Century Art Museum[42]은 도심에서 관람객들이 교차하며 시각적 교류를 하는 다양한 문화의 아케이드를 경험하는 공간이 된다. 원형의 전시공간은 주변의 동선을 이용하여 여러 개의 출입구와 연결되고 내부공간은 전시공간을 제외한 다른 공간을 자유롭게 이용하여 원하는 방향으로의 이동이 가능하다. 도시의 전시공간은 사회 구성원에게 간접적 교류의 장이 된다.

21st Century Art Museum, Kanasawa

Tate Modern[43]은 산업시설의 미술관으로의 재활용방안의 사례로, 역사적 건축물을 통합하는 도시재생의 공간으로 발전하여 도심의 일부로 동화된다. 1994년 테이트 갤러리가 방치되어 있었던 뱅크사이드 발전소를 새로운 미술관으로 개축하였으며 옛 발전소의 모습을 보존하면서 현대미술을 위한 공간으로 변화하였다.

Tate Modern, London

국립현대미술관 서울은 기존의 역할인 전시공간에 다양한 사회적 역할을 부여하고 그에 따른 공간구성을 형성하였다. 일반적인 전시공간에서 탈피하여 미술관 내부공간에서 외부마당의 전망, 전시공간의 선택적 동선, 주변 보행자도로와 연결된 다양한 사회적 교류의 장, 그리고 역사적 건축물을 통합하는 도시재생의 공간 등 새로운 사회적 역할을 수행하는 전시공간으로 발전한다. 국립현대미술관 서울관의 사회적 역할과 주변환경과의 공간구성 특징은 다음 표와 같다.

국립현대미술관 서울의 사회적 역할 유형

유형	내용	공간 특성	이미지
조망	내부에서 외부로의 조망 자연과의 교류	로비와 중앙마당 서울박스의 창 카페와 열린마당	
선택동선	동선의 선택 개인의 경험	전시공간의 배치 (B1, 1F)	
사회적 접촉	사회적 접촉 우연성 즉흥적	내외부 공간의 연결동선 외부마당	
도시재생	도심부 환경정비 문화유산이용 지속가능성	종친부, 기무사	

10. 누구나 누리는 문화

국립현대미술관(MMCA) 서울은 박물관 및 미술관 진흥법 제10조에 따라 국가적 차원에서 현대 미술 작품을 수집하고 보존하며 전시와 함께 연구하며 국제교류 및 미술 활동의 보급을 위해서 설립된 국가를 대표하는 국립 미술관이다. 현재 국립현대미술관 본관은 경기도 과천시 막계동에 위치하며 분관으로 서울시 종로구 삼청로의 서울관과 덕수궁 내에 덕수궁관이, 수장 및 보관을 위해 국립미술품수장보존센터인 청주관이 있다. 그중 2013년 개장한 국립현대미술관 서울은 기무사 터와 기타 조선왕조 종친부 부지를 포함하여 서울 도심에 위치하고 무형의 미술관, 군도형 미술관, 관람자 중심의 열린 미술관의 개념으로 설계되어 미술과 도시건축뿐만 아니라 다양한 분야에 사회적 영향을 미치고 있다.[44]

국립현대미술관 서울은 서울특별시 종로구 삼청로 30(소격동 165번지)에 있는 지상 3층과 지하 3층의 건물로, 2013년 11월 12일에 개관했다. 전체면적은 대지 27,264m2, 연면적 52,101m2의 건축물이다. 미술관의 대지는 역사적, 문화적 배경 특히 과거 조선시대의 종친부 유적과 국군기무사령부(기무사) 건물이 자리했던 곳이기도 하다. 종친부 터만 표석으로 남아있던 것이 이전, 복원되었으며 미술관의 주 출입구이면서 사무동 및 편의시설로 사용되고 있는 공간은 일제강점기에 세워진 최초의 근대식 병원 건물로, 국군기무사령부로 사용된 바 있다. 국립현대미술관 서울은 신축건물만 있는 것이 아니라 종친부와 기무사 건물, 그리고 현대미술관을 통해 일본 근대건축, 한국전통건축, 현대건축이라는 다른 시대 다양한 유형의 건축물이 모여 도심 공간의 회복과 조화를 이루며 한국건축의 흐름을 상징적으로 보여주고 있다.45)

국립현대미술관 서울의 공간구성은 주변 환경에서 내부공간까지 다양하다. 서울관이 경복궁의 건너편이고 북촌 한옥마을의 아래쪽인 삼청동길 입구에 있는 지리적 특성으로 인하여, 역사적이며 문화적인 주변환경과 자연스럽게 어울릴 수 있는 두드러진 형태가 없는 단순한 기하학의 미술관으로 설계되었다. 또한, 전통건축인 한옥 양식의 문화재인 종친부와 적벽돌로 지어진 일본 근대건축의 국군기무사령부 건물과의 조화를 고려해 전통적인 건축 공간구조를 도입하여 마당 중심의 미술관으로 구성하였다.

미술관 외부공간에는 미술관마당, 전시마당, 종친부마당, 경복궁마당, 열린마당, 도서관마당 등 6개의 마당을 조성되어 주변 도로 4면에서 어느 방향이든 미술관으로 입장할 수 있도록 개방된 일상 속의 열린 미술관이다. 미술관마당은 지상 1층 입구에 조성된 주요 마당으로, 야외 설치미술 전시공간 및 공연장소이자 관람객과 시민들의 휴식공간으로 다양하게 활용할 수 있다. 전시마당은 지하 1층 한가운데 위치해 주변 전시실들이 마당을 둘러싸고 있는 구조로, 지하 전시관에 자연 채광이 들도록 조성한 잔디 마당이다. 종친부마당은 지상 2층의 종친부 유적 앞에 펼쳐진 마당이며, 경복궁마당은 지상 3층에서 도로변을 사이에 두고 경복궁과 국립민속박물관 입구를 마주하고 있다. 또한, 지상 1층의 열린마당은 삼청동길에서 연결되고, 지상 2층의 도서관마당과 북촌길로 이어지는 공간이다. 미술관 내부에는 8개의 전시실이 불규칙하게 흩어져 있어서 관람객들이 동선에 구애받지 않고 자유로운 관람이 가능하다. 이외에도 영화관, 미디어랩, 디지털정보실 등의 현대적 문화시설과 편의시설이 있다.

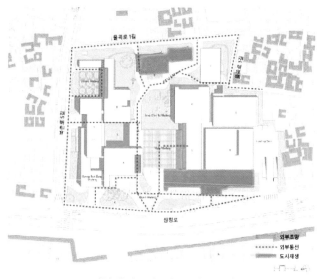

국립현대미술관 서울 외부동선

국립현대미술관 서울이 위치하는 서울시 도심부 가로의 공간체계는 경복궁을 중심으로 동쪽으로 동대문까지 연결되는 사직로와 남쪽으로 광화문광장과 서울시청으로 연결되는 세종대로, 북쪽

으로는 경복궁과 국립현대미술관을 좌우로 삼청동으로 연결되는
삼청로를 중심으로 형성되었다. 동서방향은 5.84Km의 긴 가로인
경복궁에서 북촌을 거쳐 창경궁으로 이어지는 옛길인 사직로와 종
로, 을지로, 퇴계로, 그리고 여러 개의 시각적 축선이 다양한 가로
로 형성되어 있는 청계천로가 있다. 남북방향의 가로는 동서방향에
비해 상대적으로 짧게 형성되었는데 가장 긴 세종대로는 경복궁에
서 서울시청, 남대문, 서울역, 그리고 한강으로 이어진다. 북쪽으로
는 경복궁과 국립현대미술관을 좌우로 삼청동으로 연결되는 삼청
로가 청와대로로 나누어진다.

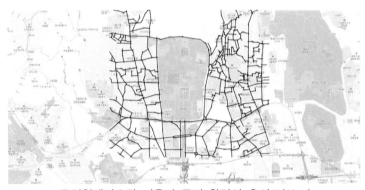

국립현대미술관 서울과 주변 환경의 축선도(1km)

도심부 전시공간이 고려해야 할 여러 요소 중 중요한 요소는
전시와 관련된 기능 간의 복합성, 접근성과 이용의 편리성, 도시건
축으로서의 상징성과 문화경쟁력 등이 포함된 위치와 주변환경과
의 관계이다. 전시공간은 전시라는 기본적 기능에만 머물지 않고
내부공간의 동선 변화, 주변환경과의 시각적, 물리적 연결 등 다양

한 위상학적 공간구성이 나타난다. 미술관의 외부에서 내부공간까지 연결하여 공간구조를 살펴보면 외부공간은 북쪽을 중심으로 주변 환경인 북촌과 연결되어 자연스러운 사회적 교류가 발생하게 되고, 내부공간은 로비와 전시공간을 중심으로 관람과 관련된 교류가 발생할 수 있는 공간구조임을 알 수 있다.

국립현대미술관 서울과 주변 환경 주요가로체계와 통합도(내외부 100m)

국립현대미술관 서울과 주변 환경 공간분석 결과, 미술관의 다양한 사회적 역할 중 외부와의 시각적 교류를 통한 개방적 공간과 기존 문화역사를 이용한 도시재생은 미술관 내부 지상층에서 미술관 외부공간으로 한정되고, 선택적 동선을 통한 자율성은 지하 전시공간의 배치로 인하여 내부공간의 교류가 주로 나타났다. 주변 환경과의 연결에 따른 사회적 접촉은 전시공간이 분할되고 다양한 외부마당이 주변과 연결되어 미술관 북쪽을 중심으로 사회적 교류의 장이 형성되는 것으로 나타났다.

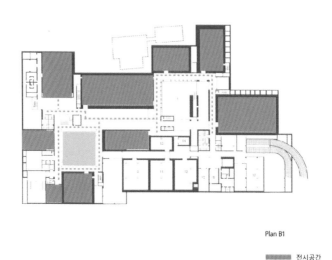

Plan B1

▓▓▓▓▓ 전시공간
- - - - - - 내부동선

국립현대미술관 서울의 사회적 역할에 따른 공간구성

국립현대미술관 서울은 현대미술관 기능을 도심으로 확장하기 위한 문화공간 프로젝트이다. 기존의 미술관의 폐쇄적인 내부공간에서 외부의 전경을 내부에서 시각적 연결을 제공하는 공간으로 전환하거나 전시기능에서 사용한 강제동선 대신 관람자가 동선을 결정하는 자유로운 선택 동선, 그리고 내외부 공간의 물리적 연결, 역사적 건축물의 지속가능성과 도시 환경의 재생 등 현대미술관의 도심에서 발생하는 사회적 기능과 역할의 강화는 궁극적으로 전시

공간의 접근성 확대, 관람자의 문화공간 편의성 증대, 도심 문화공간들의 복합적 네크워크 구축, 그리고 전시공간을 통한 도시 공간의 공공성 제고 등 다양한 기대효과가 나타나는 도시공간적 연계성으로 이해할 수 있다.

For the research of spatial composition and connection between exhibition space and neighborhood environment according to social roles in exhibition space, literature review and investigation on characteristics of spatial composition in public and pedestrian environment have been conducted. The transportation and pedestrian roadside system of outside and inside in National Museum of Modern and Contemporary Art(MMCA) Seoul with space syntax have been analyzed.

The result of this research can be summarized as followed. First of all, the social role of exhibition space has been changed from visual exhibition and education to social space with outdoor natural view, selective circulation, social contact, and urban regeneration. The second one is that main roads in MMCA's neighborhood are Sajikro ad Samcheongro in 1,000m, Samcheongro in 500m, and Bukchon5gil in 100m. Loop system can be organized with boundary roads and outdoor space in the north side of MMCA and neighborhood environment. Main spaces of MMCA's inside area are lobby and underground exhibition spaces. The third one is that the social contact and communication role in north side of MMCA, and visual education role in the southern area of inside of museum with outdoor view and selective circulation.

Based on the result of analysis, the connections of MMCA with neighborhood environment can be improved exhibition role as a basic function of museum and social communication role through pedestrian walk. MMCA Seoul has stereoscopic spatial configuration according to diverse social roles such as education in exhibition space, social contact in indoor and outdoor spaces, and urban regeneration in Seoul historic city center.

11. 도심부 녹지공간 개방

전통사회에서부터 현대 사회에 이르기까지 한국을 대표하는 한국성의 상징 거리인 서울시 구도심은 역사적 공공공간인 경복궁과 광화문광장, 한국 전통공간인 북촌과 서촌, 그리고 여러 미술관을 중심으로 하는 문화 거리 등 다양한 지리적, 사회적, 문화적 맥락으로 구성되어 있다. 이러한 현대 도시와 건축에서의 공공성은 공간의 개방과 사유공간의 공공화가 가장 중요한 담론이 되었다.

이러한 담론의 전형적인 사례가 서울 구도심에 형성되었는데, 폐쇄적이었던 구도심에 2010년대 전통문화의 복원과 함께 도심 재생사업으로 새로운 공공성을 나타내는 공공공간이자 문화공간인 국립현대미술관 서울이 개관하였고, 2022년에는 한국 근, 현대사회의 정치적이며 역사적 상황으로 인하여 100여 년이 넘게 주변과 단절되고 가로막혀있던 종로 송현동 부지가 열린 송현이라는 녹지광장으로 임시 개방되고 2024년 이후에는 새로운 공공의 공간과 문화공간이 예정되어있다. 국립현대미술관 서울은 기존 미술관과는 다른 내, 외부의 다양한 접근과 공간적 개방을 지향하여 주변 도시 맥락과 새로운 관계성을 형성하였고, 열린 송현은 국립현대미술관에 근접해서 기존 도심부의 폐쇄되었던 공간이 공공공간으로 개방되면서 대형의 녹지공간과 공공공간을 제공하게 되었다. 그 결과 서울시 구도심은 오랫동안 폐쇄되었던 대형 규모의 외부공간을 새로운 녹지공간으로 전환하고 개방하는 상황에 따른 도심부 주변

환경에 커다란 영향을 주는 물리적이자 공간적인 변화가 예상된다.

서울시 도심부는 국가상징 거리인 경복궁과 광화문에서 국립현대미술관 서울까지 다양한 역사적이며 사회적 건축물로 구성된다. 이곳은 최근 설립된 국립현대미술관 서울이 경복궁의 동쪽이자 북촌 한옥마을의 남쪽인 삼청동길 입구에 위치하는 도시 공간적 특성으로 인하여, 역사 문화적인 주변환경과 자연스럽게 어울릴 수 있는 단순한 기하학의 모임인 군도형 미술관으로 설계되었다.46) 이후 미술관 옆에 오랫동안 폐쇄되었던 송현동 부지가 최근 공공녹지로 시민에게 개방되었다. 이 지역은 경복궁, 북촌, 현대미술관, 열린 송현 등 시대적, 프로그램적, 공간적으로 다양한 특성을 가진 건축물이 모여서 독특한 도시풍경을 만들고 있다.

2013년 11월에 개관한 국립현대미술관 서울은 기존의 기무사와 수도병원 등 폐쇄적인 공간이었던 도심부 맥락과 공간구조를 완전히 새롭게 변화시켰다. 미술관의 대지는 과거 조선 시대의 종친부와 국군기무사령부(기무사) 건물이 자리했던 곳으로 역사적, 문화적 배경이 특이하다. 현재 국립현대미술관 서울관은 신축한 현대건축뿐만 아니라 역사적 건축물인 종친부, 기무사, 현대미술관을 통해 한국전통건축, 일본 근대건축, 현대건축이라는 서로 다른 시대의 다양한 건축물이 함께 모여 구도심 공간의 조화를 이루며 도시재생이라는 최신 한국건축의 흐름을 보여주고 있다.47)

미술관에 관련된 기존 연구를 살펴보면, 최(2003)는 미술관을 움직임의 공간구조로, 강과 김(2012)은 미술관의 위상을 헤테로토피아, 차이와 권력의 공간으로 해석한다. 이러한 연구 결과, 미술관은 기본적인 목적인 전시공간에 다양한 공간구성을 이용할 뿐만 아니라(백, 2008) 외부의 전경을 끌어드리는 차경을 이용한 전시공간, 강제동선이 아닌 미술 관람을 선택할 수 있는 선택 동선의 제공, 미술관을 관통해 다른 곳으로 갈 수 있는 공간의 로터리와 사회적 접촉의 가능성, 기존 오래된 역사 속 건축물을 새로운 시대적 사회적 요구에 따른 활용을 통한 도시재생의 시도 등 공공성을 기반으로 하는 다양한 사회적 역할을 수행하는 장소라 할 수 있다.

최근 공공녹지로 시민에게 개방된 국립현대미술관 서울 옆 종로 송현동 부지는 조선 초기 궁궐 옆의 소나무 숲이어서 소나무 언덕이라는 뜻으로 명칭이 붙었다. 이곳은 조선 시대에는 왕족과 명문 세도가들의 거주지였고 일제강점기 때는 일본의 손으로 넘어가 동양척식주식회사 소유인 조선식산은행의 사택이 들어섰다. 1945년 광복 이후에는 미군의 숙소로 이용됐고 이후 주한미국대사관의 사택으로 사용됐다. 이 당시 송현동 땅을 둘러싼 거대한 담장은 미 대사관이 서울 내 미국이라는 국경 개념으로 쌓은 것이다. 서울 도심의 폐쇄된 공간이 국가의 상징적 국경을 대하면서 오랫동안 유지되었다. 1997년 삼성생명은 송현동 부지에 미술관을 지으려 했지만 무산됐고, 2008년 대한항공이 매입해 한옥 호텔을 만들 계획이었으나 종로구청이 학교 환경위생 법상 정화구역으로 지정된 곳에 호텔을 건립할 수 없다는 이유로 제동을 걸었다. 이후, 서울시는 폐허로 방치된 송현동 대지를 매입하여 공원으로 변경해서 시민들에게 열린 송현 녹지광장을 2024년까지 임시로 개방하기로 했다. 축구장 5개 크기인 37,117㎡의 부지에 넓은 잔디밭이 마련돼 있고, 그 사이를 400m의 순환형 산책로가 가로지르는 형태다. 2025년부터는 대지면적 9,787㎡, 전체 부지의 26%의 면적에 가칭 이건희 기증관을 품은 송현문화공원으로의 조성이 예정되어 있다. 이러한 주변 환경의 변화는 가로환경, 네트워크 환경, 지역 환경 등 보행에 관한 다양한 요소와도 연관된다(Park et al., 2006). 서울시 구도심은 한국 근, 현대사회 역사적 사건의 격변 속에서 중심에 있었고 멀지 않은 시기에 다시 한번 변화의 중심이 될 것이다.

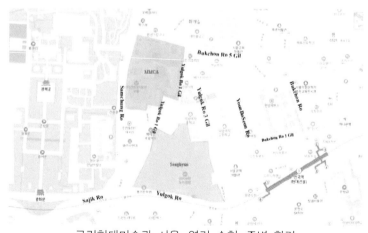

국립현대미술관 서울, 열린 송현, 주변 환경

다양한 역사적 지층으로 구성된 서울시 도심부의 새로운 도시 공간의 구조 변화와 보행환경의 공간구성 방식을 정량적으로 파악하기 위하여 공간구문론 중 축선 공간 방식의 분석을 이용하여 국립현대미술관 서울과 열린 송현을 중심으로 서울시 도심부 가로 체계 및 공간구성의 분석을 시행하였다. 분석을 위한 범위 설정과 그에 따른 자동차 도로와 보행로의 축선도(Axial map)를 제작하고 공간구문론으로 분석을 진행하였다.

서울시 도심부를 구성하는 경복궁과 광화문, 북촌, 국립현대미술관 서울, 열린 송현 등 다양한 프로그램과 공간에 따른 공간구조의 변화가 도심부 공간구성뿐만 아니라 주변 환경과 맥락에도 커다란 영향을 미치므로 주변 환경의 공간구조 현황과 관계를 파악하기 위하여 공간구문론을 사용하여 국립현대미술관 서울과 열린 송현 녹지광장을 중심으로 반경 1,000m 자동차 도로 체계, 열린 송현 녹지광장 제공 전, 후 1,000m 보행자 도로 체계, 500m 보행자 도로 체계, 미술관과 열린 송현의 경계 도로를 기준으로 축선도와 공간구조를 분석하였다.

우선, 주변 환경 가로체계 중 반경 1,000m 자동차 도로의 분석 결과 주도로는 경복궁 남쪽의 대로인 동서방향의 사직로/율곡로와 국립현대미술관 서울관 옆 남부방향의 삼청동길로 나타났다. 이와 함께 열린 송현 쪽 율곡로 쪽에 자동차 통행량이 높게 나타났다. 같은 범위의 보행자 도로 외부 공간 분석 결과 열린 송현 형성 전, 후의 주도로는 자동차 도로의 분석 결과와 동일하게 경복궁 남쪽의 사직로/율곡로와 국립현대미술관 서울관 옆 삼청동 길로 나타났다. 그러나 중심도로 주변의 경복궁 내부 보행로와 세종대로도 높게 나타나서 다양한 주변 보행이 활성화됨을 알 수 있다. 또한, 열린 송현 옆 가로인 율곡로 3길과 안국역 옆 가로인 윤보선 길은 보차혼용도로로 공간구조로는 안국동의 중심을 가로지르지만 율곡로, 삼청로, 북촌로, 북촌로 5길 등에 의해 형성된 블록의 도로로 인하여 중심 도로의 역할은 못 하는 것으로 나타났다. 이러한 도로 체계를 공간구문론의 정량적 분석으로 살펴보면 반경 1,000m 자동차 및 전, 후 보행자 도로의 통합도는 0.553, 0.612, 0.614로 나타났는데 수치상으로는 전반적으로 낮으나 부분 통합도(3)는 1.240, 1.313, 1.315로 높게 나타나서 실제로 사용하는 가로체계 수준에서는 전체 도심부 내에서 중심공간임을 알 수 있다. 부분 통합도(3)의 결과는 전체 통합도와 약간 차이가 나서 동서 방향의 주도로는 사직로/율곡로이고, 남북방향은 삼청로, 북촌의 북촌로, 서촌의 자하문로로 확대되어 나타났다.

분석의 범위를 500m로 좁혀 열린 송현 제공 전 기존 보행자 도로의 분석한 결과, 삼청로가 중심도로이며 보행자 이동 시 삼청로에서 국립현대미술관 서울로의 접근이 이루어짐을 알 수 있다. 또한, 반경 1,000m 보행자 도로의 분석에서 나타난 중심도로인 서울관의 서쪽 삼청로와 남쪽 사직로와 더불어 동쪽 북촌로와 북쪽의 북촌로 5길이 주도로가 되어 국립현대미술관 서울과 안국역을 기준으로 도시 블록의 루프(Loop) 동선체계가 형성됨을 알 수 있는데 이 결과는 부분 통합도(3)에서 더욱 명확하게 나타난다. 보행량을 나타내는 ERAM(3) 결과는 사직로와 광화문에서 홍례문까지의 경복궁 내부가 높게 나타나서 국립현대미술관과 열린 송현보다는 경복궁을 중심으로 보행자가 집중될 수 있음을 알 수 있다. 경복궁 내부 보행로는 경복궁 주차장을 이용하면 삼청동길과 연결되어 미술관으로의 접근이 가능하므로 이 경우 경복궁에서 사직로를 이용하여 열린 송현까지 보행하는 방법과 함께 동선의 선택이 가능하다.

열린 송현 녹지공간의 제공에 따른 주변 환경의 변화는 500m 보행자 도로의 분석에서 명확하게 나타난다. 특히 ERAM(3) 항목을 살펴보면 기존의 공간구조에서는 국립현대미술관 서울이 중심이었으나 열린 송현이 형성된 이후 주변의 율곡로에 보행량과 보행 빈도가 증가하는 것으로 나타났다. 보행 빈도의 증가는 대중교통을 이용하는 보행자의 경우 안국역에서 접근이 쉬운 율곡로를 이용하거나 안국역에서 북촌으로 이동 후 국립현대미술관 서울로 접근하거나 다른 동선은 경복궁역에서 경복궁 입구를 거쳐 삼청로를 건너 국립현대미술관으로 이동하는 경로가 형성되어 국립현대미술관 서울로의 접근은 공간 구조상 삼청동길을 중심 도로로 안국역과 경복궁역 양쪽에서 접근하게 된다.

MMCA와 주변 환경 공간분석 결과

Case	Connectivity	Integration
500m (Pedestrian) Before		
	2.608	0.667
500m (Pedestrian) After		
	2.853	0.667

국립현대미술관 서울은 경계가 명확하고 접근을 통제하는 기존 건축물과 다르게 주변 지역의 여러 방향에서 접근할 수 있도록 여러 개의 외부 공간과 접근로를 조성하고, 미술관의 매스를 나누어서 보행자의 외부동선을 다양하게 형성하여 사용자가 선택한 동선을 이용하여 다른 곳으로 쉽게 이동할 수 있어 어느 방향에서라도 진입할 수 있게 되었다. 또한, 자동차와 보행자가 쉽게 접근할

수 있도록 미술관이 주도로인 사직로와 삼청로에 접하고 자동차는 삼청로에서 진입하여 미술관의 지하 주차장으로 바로 진입하는 등 자동차의 접근 동선을 명확하게 해결하였다.

국립현대미술관 서울과 열린 송현의 경계를 중심으로 열린 송현 개방에 따른 주변 환경 공간구조를 분석한 결과 개방 전, 후 공간구조의 변화가 일부 나타났다. 개방 전 기존 공간구조에서 국립현대미술관으로의 보행자 진입은 크게 두 가지로 남쪽의 사직로/율곡로를 따라 삼청로로 접근하여 주 출입구를 이용하는 방법이다. 다른 진입 방법인 북촌에서 접근하는 경우는 반대쪽으로 접근하여 주 출입구를 찾기 어렵고 그로 인해 이용하기도 불편한 공간구조가 된다. 또한, 미술관의 외부경계는 주변 도로로 따라 형성되면서 북쪽과 서쪽을 중심으로 중심공간을 만들어지지만, 미술관의 남쪽과 동쪽은 주변 공간으로 또 다른 동선 루프를 형성하게 되면서 미술관의 공간을 나누게 될 가능성이 있다. 그럼에도 불구하고 이러한 독특한 공간구조는 주변에서 미술관으로의 접근이 사방 우회로의 다양한 길을 선택하게 되므로 주변환경과의 연속성과 접근성이 형성됨을 알 수 있다.

열린 송현은 남쪽 대로인 율곡로와 직접 연결되어 있고 개방된 녹지공간을 관통해서 국립현대미술관 서울의 남쪽 후면 쪽으로의 접근을 가능하게 한다. 이를 반영하여 주도로에서 미술관으로의 접근 방법을 분석한 결과, 삼청로에서 미술관 외부공간을 관통하여 종친부 마당을 거쳐 동쪽의 율곡로 1길과 율곡로 3길로 연결되는 도로와 열린 송현과 연결되어 미술관과 녹지공간을 연결하는 새로운 보행공간이 만들어진다. 즉 방문자들은 기존의 북촌 쪽에서 서쪽의 미술관 주 출입구까지 오기보다는 남쪽의 율곡로와 열린 송현을 중심으로 보행하면서 미술관의 종친부 중심마당을 거쳐 미술관 입구와 북촌 쪽으로 이동하는 새로운 보행 경향이 나타난다. 분석 결과 새로운 공공녹지 공간의 제공은 도심부의 주변 환경 공간구조는 보행환경을 변화시키며 기존 경복궁과 삼청로 중심에서 율곡로로의 확장과 보행환경의 다양성이 나타나는 등 긍정적 효과가 나타난다고 할 수 있다.

서울시 도심부는 경복궁, 북촌과 같은 전통 건축물, 기무사 등 근대 역사 건축물, 국립현대미술관 서울, 공예미술관과 같은 현대건축물 등 다양한 역사적 지층을 대표하는 도시 맥락들의 공간구조로 이루어져 있다. 서로 다른 건축물은 서로 영향을 주면서 공존하면서 주변 환경을 구성한다. 공공디자인을 통해 발현되는 건축적 공공성에 관한 연구(박과 전, 2008)에 의하면 이러한 도시 맥락과 공간구조는 정적으로 일정하게 있는 것이 아니라 항상 도시의 변화에 따라 적극적으로 대응하며 사용자의 행위를 통해 공공공간으로서 유지된다.

서울 도심부 개방에 따른 공공성의 중요한 사례인 국립현대미술관 서울은 기존의 기무사와 국군서울지구병원으로 폐쇄되었던 도시 조직과 공간을 바꾸어 놓았다. 미술관은 여러 방향에서 접근할 수 있도록 동선을 계획하여 주변 맥락과 다양하게 연결되어 있다. 미술관은 안국역과 경복궁역 사이에 위치하여 보행자의 경우 지하철역에서 접근이 쉬운 남쪽 사직로/율곡로와 공간 구조상 중심 도로인 삼청동길로 연결하여 접근하게 된다. 또한, 안국역에서 북촌을 거쳐 국립현대미술관으로 오거나 경복궁역에서 경복궁 입구를 거쳐 삼청로를 건너 국립현대미술관으로 접근할 수 있다. 일반적으로 경계를 명확하게 하고 주 출입구를 중심으로 접근을 통제하는 기존 미술관과 다르게 국립현대미술관 서울은 사방에서 진입할 수 있게 여러 개의 동선과 출입구를 조성하고 전시공간의 규모와 동선을 다양하게 하여 사용자가 쉽게 이동할 수 있다.

그중 주 동선은 중심대로인 남쪽의 사직로를 따라 서쪽 삼청로로 진입하여 미술관 주 출입구를 이용하는 것이지만, 다른 선택 동선인 북쪽의 북촌 방향에서 접근하는 경우, 동쪽 골목길을 거쳐 종친부 쪽으로 접근하는 두 가지 경우, 남쪽 한옥 밀집 지역의 골목을 이용하는 경우 등은 이용하기도 불편하고 주 출입구 찾기도 어려운 공간구조가 된다. 방문객의 주동선은 주로 서쪽과 북쪽에 형성되는데 외부경계는 북쪽과 서쪽을 중심으로 중심공간이 형성되고 남쪽과 동쪽은 주변 공간으로 형성될 가능성이 있다. 그 결과 국립현대미술관으로의 접근성은 양호하면서도 주변환경과의 연속성이 형성되어 어느 방향에서라도 접근할 수 있게 된다.

MMCA와 Songhyun 공간구문론 결과

Case	Connectivity	Integration
500m (Pedestrian) Before		
	2.608	0.667
500m (Pedestrian) After		
	2.853	0.667

또한, 주변 도로에서 미술관 외부공간으로의 접근 방식을 분석한 결과, 삼청로에서 미술관 중심 외부공간과 종친부 마당을 거쳐 동쪽의 율곡로 1길로 연결되는 동선이 형성되고 미술관의 북쪽 마당을 중심으로 작은 동선 루프를 형성한다. 이러한 경계 변화를 통하여 주변 환경과 또 다른 관계를 형성하게 된다. 이는 전과 동

(2008)의 현대건축이 공간의 조합 및 혼성, 중첩, 상호 관입, 확장 등 경계 변화를 통하여 변화하는 사회성을 도시로까지 확대하여 비위계, 다중심적, 연속적, 유동적인 공간을 형성하는 연구와도 일정 부분 일치한다.

미국대사관 사택과 기업의 소유였던 송현동 부지가 최근 시민에게 공개된 것은 서울시 도심지 중심부에 사회적, 문화적 변화뿐만 아니라 도시 공간조직에도 커다란 변화를 일으켰다. 서울 도심부의 공간은 경복궁 등 특정한 공공공간을 제외하면 매우 작은 단위의 공간으로 조직되어 있다. 그런 상황에서 오랫동안 폐쇄되었던 송현동 부지의 개방은 주변 환경 중 특히 가까이 위치한 국립현대미술관 서울과 북촌 지역의 보행자에게 큰 영향을 주게 된다.

열린 송현에 의한 주변 공간구조의 변화 중 가장 큰 특성은 주변과의 연결이 전혀 없었던 공간에서 열린 송현 내부 보행로가 형성되면서 주변과의 연결도가 높아졌다는 것이다. 기존에는 송현동 부지의 높은 담으로 인하여 머무름의 공간이 아닌 빠르게 지나가야 하는 공간으로 보행의 부담이 있었다면 개방 후 열린 송현의 주변 도로 특히 남쪽의 대로인 율곡로에 보행량이 증가했다는 사실이다. 그리고 열린 송현은 현재 공원으로 개방되어 내부공간은 주변과의 연결이나 다양한 선택 동선의 보행보다는 머무름의 공간으로 제공된다는 것이다. 즉 안국역에서 경복궁이나 국립현대미술관 서울로 가는 목적보행과 함께 도심부 녹지광장이자 공원이라는 여가보행의 공간이 동시에 제공되었다. 이는 보행자의 경관 변화 인식에서 도시 가로의 경관의 구성 요소 중 건축물의 연속성과 유사성, 정면에서 도시 시설물의 단절과 반복이 영향을 준다는 양 (2017)의 연구 결과와도 연결될 수 있다.

열린 송현 개방 후 보행환경 변화

개방된 열린 송현의 또 한 가지 중요한 공간 특성은 기존에는 송현동 부지의 폐쇄된 장벽으로 인하여 안국역에서 국립현대미술관 서울까지 돌아가야 하는 우회로에서 직접 연결되는 지름길이 형성된 것이다. 열린 송현 이전에는 주 동선이 삼청로와 북촌로 5길이어서 미술관 접근로가 서쪽과 북쪽이었다면 열린 송현이 개방되고 나서는 기존 주출입구와 직접 연결하는 서쪽의 주동선은 유지되지만, 북쪽의 북촌로 5길의 동선보다 열린 송현의 내부를 지나서 국립현대미술관으로 진입하는 새로운 보행로가 형성됨을 알 수 있다. 특히 보행량을 평가하는 ERAM(3)는 열린 송현 내부에서 높게 나타나서 남쪽 율곡로에서 열린 송현을 거쳐 미술관으로 진입하는 지름길이 형성됨을 알 수 있다. 이는 기존 미술관 진입 과정에서 삼청로가 주도로이며 주 출입구와 바로 연결되어 미술관 남쪽 한옥밀집지역의 골목을 통과해서 미술관으로 도달하는 보행로는 거의 이용하지 않았다는 사실과 비교하면 열린 송현의 개방으로 인하여 열린 송현과 미술관의 사이의 작고 복잡한 한옥밀집지역의 골목길인 율곡로 1길도 지름길로서의 역할을 하고 있음을 보여준다.

안국역에서 미술관까지의 보행은 대로를 이용하여 주출입구로 직접 연결하는 동선을 선택하거나 중간에 골목길을 거쳐야 하지만 열린 송현을 관통하는 지름길을 이용하여 미술관의 남쪽 율곡로 1길에서 뒷마당으로 접근하는 새로운 보행로가 형성된다. 그 결과 도심부 보행환경의 개선 및 회복을 의미할 수 있으며, 이는 현대사회의 현대적 공공성인 공적, 공익, 공정, 그리고 공론의 개념이 추가된 문화적 공공성의 확대 측면에서 좋은 사례가 될 것이다.[48]

Offering new public green space in Seoul city center can be changed the spatial composition and relationship among neighborhood environment, investigation including literature review and space analysis research on the characteristics of spatial composition in public space and pedestrian environment have been conducted. The transportation and pedestrian roadside system of National Museum of Modern and Contemporary Art(MMCA) Seoul and Songhyun green space with space syntax have been analyzed.

The result of this research can be summarized as followed. First of all, the publicness in Seoul city center which is consisted with traditional symbolic central space and contemporary cultural space, is changed with new offered public open space. The next one is that main roads in neighborhood area are Sajikro and Samcheongro in 1,000m, Samcheongro in 500m, but they are changed to Yulgokro in 500m with Songhyun green space. The last one is that the spatial composition is diversely changed and the connections of MMCA and Songhyun with neighborhood environment can be improved according to Songhyun space.

Based on the result, the publicness in city center as a

social communication role through pedestrian improvement can be improved with providing open public space.

12. 전시공간의 새로운 사회적 역할_프락(FRAC)

　　전시물의 진열과 보관의 공간에서 시작한 전시공간은 미셸 푸코의 도시 공간 관점에서 보면 유토피아나 도시의 다른 일상의 공간과 차이가 나는 이질적인 공간이며 이는 사물의 질서를 전시하면서 지식과 권력과의 관계로 확장하고 전시에서 배치로 전환하면서 그에 따른 주체의 자기 감시로 내재화하게 된다. 또한, 전시공간은 역사적으로 미술품을 위한 폐쇄된 배경인 화이트 박스(White Box)에서 시작하여 주변환경과 외부공간과의 연속성의 도입, 결정된 계획된 동선에서 자유로운 동선의 선택, 우연한 사회적 공간에서의 접촉, 도시재생의 프로그램으로까지 다양한 사회적 역할을 수행해 왔다.

　　이처럼 전시공간은 사회적이고 역사적인 현실의 헤테로토피아 공간이면서 전시라는 기능의 단순하고 단일한 공간에서 복합적 문화의 공간구성으로 진화했는데 최근에는 현대 사회의 새로운 특성이라고 할 수 있는 네트워크의 공간으로 발전하는 중이다. 이러한 새로운 전시공간의 사례라 할 수 있는 1980년대 프랑스 지역 현대미술기금인 프락(FRAC, Fonds Régional d′Art Contemporain: Regional Contemporary Art Collection)은 중앙정부나 기업 소유의 단일한 독립 건축물로 구성되는 기존의 전시공간과는 다른 지방 자치제를 기반으로 하며 다수의 미술관 네트워크 체제로 연결되는 기존과 다른 전시공간의 시스템이 형성되었다.

전시공간은 형성된 초기에는 전시 대상물을 중심으로 하는 기본적인 기능인 백색 상자의 공간에서 시작하여 외부와의 시각적 교류와 차경을 통한 개방적 공간, 주어진 강제동선에서 벗어난 다양한 선택적 동선을 통한 사용자의 자율성 강화, 도시 속 공공공간으로 주변환경과의 연결망과 허브, 구도심 재생의 프로그램 대안 등 시대에 따라 다양한 사회적 역할을 수행하는 공간으로 변화하고 발전해 왔다.49)

전형적인 전시공간은 백색의 내부공간으로 효율적인 이동 동선을 이용하여 전시공간을 배치한다. 공간보다는 전시 대상물이 더 중요하여 전시품에 집중하기 위한 건축적 장치와 공간이 시도된다. 이후 폐쇄적인 전시공간은 주변환경과 외부공간과의 시각적 물리적 연결을 통하여 조망과 차경을 전시공간과 연결해 공간의 시지각적 연속성을 확보한다. 전시의 순서와 배열에 의한 강제동선과 시각적 매체를 통한 교육은 점차 자율성을 띠며 자유로운 공간의 선택으로 확장하며 이는 전시공간의 방문 목적이 아닌 우연한 사회적 접촉을 형성하는 일상의 공공공간으로까지 변화한다. 공공공간으로의 확장은 구도심의 문화 프로그램과 도시재생의 기능으로 연결되어 전시공간은 현대 사회의 가장 중요한 일상의 공간이며 공공공간이 된다. 그 결과 전시공간은 단순한 역사적 전시품의 집합 공간이 아닌 시민의 자율성과 능동적 사회 활동의 장이 되며 전시공간의 다양한 유형과 공간구조에 대한 제안으로 미술관은 다양성을 확보하게 된다.

미셸 푸코는 서유럽을 바탕으로 16세기에서부터 약 500년이라는 특정 시기와 공간을 분석하여 역사적 변천과 도시 공간적 특성을 통하여 기존 관념을 깨고 에피스테메(Epistheme)와 헤테로토피아(Heterotopia) 등 새로운 시공간 관점의 해석을 시도했다. 푸코는 전시공간에 대해 특정한 분석을 하지는 않았지만, 시선(Gaze)을 통하여 현상학적인 관점이 아닌 역사적 지층을 형성하는 원리를 이해하려는 방법과 지식, 권력, 통치, 윤리의 영역으로 사회를 해석하는 관점을 적용하면 특정한 전시공간의 공간에 대한 해석이 가능하다.

　푸코가 미술관과 연결하여 제기한 테제들은 헤테로토피아로서의 미술관, 지식의 배치, 시선의 권력 공간으로 정리할 수 있다.[50] 헤테로토피아로서의 미술관은 기존의 도시 속 일상과는 다른 곳으로서 무한대로 축적된 시간의 공간으로, 서로 다른 대상들의 공간으로 사물들의 차이뿐만 아니라 개념과 사물의 차이를 경험하는 공간이다. 푸코는 고고학이라는 방법론을 이용하여 미술관을 지식이 다양하게 배치되는 조건들을 파악하고 사물의 질서를 전시하여 사물과 개념 간의 차이를 경험하는 공간으로 해석한다. 또한, 미술관을 대중들에게 질서의 힘과 원칙을 보여주는 규율과 배열의 권력을 통해 훈련과 학습의 공간을 건축적으로 구축한 곳이라고 주장한다. 즉 미셸 푸코에게 전시공간을 사회의 일상에서 벗어난 이질적인 공간이지만 눈에 보이지 않는 지식과 통치를 위한 권력이 시각화되고 미분화된 곳이라 할 수 있다. 푸코의 해석은 기존의 전시공간을 바탕으로 진행되었으나 현대 사회의 전시공간은 기존과는 다른 변화를 통하여 진화하고 있고 그에 따라 새롭게 나타나는 전시공간에 대한 해석과 그에 따른 사회적 역할을 모색하는 것이 요청된다.

프락은 프랑스 전역에 분포된 지역현대미술기금(Fonds Régional d'Art Contemporain)을 지칭한다. 현대 미술의 생산과 순환과 소비를 중심으로 하는 전시공간인 프락의 설립 배경을 살펴보면 1982년 파리에 집중되어 있던 중앙집권적 문화예술 정책을 지방 분권화하고자 지원하면서 이루어졌고 그에 따라 지역 문화 사무국인 DRAC(Direction Régionale des Affaires Culturelles)을 설립하였고 각 지방정부와 협의를 통해 다수의 새로운 미술관을 형성하였다.[51] 현재 프랑스 전 지역에 23개의 미술관, 다양한 국적의 6,000명 이상의 작가들, 35,000 이상의 작품을 보유하고 있으며 2005년부터는 전국 네트워크인 플랫폼(Platform)을 형성하였다.

프락은 기존의 전시공간과는 다른 목적과 방식으로 운영하는데 그 중 현대예술의 창작 활동 지원, 현대예술 작품을 미래의 유산으로 간주하고 확보, 지역과의 연계를 통한 전시 및 교육 프로그램 개발, 지역별로 위치하여 상호 간 네트워크를 통한 협력 등 조직의 유연성과 실험 정신을 특징이라고 할 수 있다.

The 23 FRAC collections in France

Name	City
FRAC Alsace	Sélestat
FRAC Aquitaine	Bordeaux
FRAC Auvergne	Clermont-Ferrand
FRAC Bourgogne	Dijon
FRAC Bretagne	Rennes
FRAC Centre-Val de Loire	Orléans
FRAC Champagne-Ardenne	Reims
FRAC Corse	Corte
FRAC Franche-Comté	Besançon
Le Plateau/FRAC Ile-de-France	Paris
FRAC Languedoc-Roussillon	Montpellier
FRAC Limousin	Limoges
FRAC Lorraine	Metz
Les Abattoirs, Musée - FRAC Occitanie Toulouse	Toulouse
FRAC Nord-Pas-de-Calais	Dunkerque
FRAC Basse-Normandie	Caen
FRAC Haute-Normandie	Sotteville-lès-Rouen
FRAC des Pays de la Loire	Carquefou
FRAC Picardie	Amiens
FRAC Poitou-Charentes	Angoulême
FRAC Provence-Alpes-Côte d'Azur	Marseille
Institut d'art Contemporain	Villeurbanne
FRAC Martinique	Fort-de-France

프랑스의 현대 미술 지원제도는 중앙정부와 지방정부의 상호의존성이 높다. 설립된 시기인 1980년대 프랑스의 지방정부가 총 23개로 나누어져 있어 23개의 미술관이 형성되었다. 설립 목적

이 창작 활동 지원과 미술 문화의 접근이 어려운 지역의 전시를 활성화하는 것이라 프락의 지리적 위치와 분포는 도시의 중심보다는 외곽에 위치하는 등 전략적으로 설정된다.

미술관의 운영은 국가 정부와 지방정부의 협의하에 있지만, 자체 독립된 운영 형태를 갖추고 있어서 각각의 특수성과 정체성을 기반으로 하여 상호관계에서 공유와 유연한 협업 관계가 나타난다. 운영방식은 지역과 정부로부터 독립되어 운영되며 주로 전시 기획, 소장품 전시, 교육 프로그램이 중심이 된다. 특히 23개의 네트워크를 위한 조직인 플랫폼은 공유형 통합으로 효율성을 높이고 국내외 교류와 활동을 위한 창구의 역할을 하며 예술 작품의 수집하는 프로젝트도 수행하는 중심 조직이다. 각 프락은 지역적 특수성, 소장 작품의 내용 차별성, 건축물의 디자인과 역사성, 기획 운영방식 등을 통하여 정체성을 유지하고 있다. 특히 각 미술관은 단순히 미술관을 설립하는 것에서 그치지 않고 지역 출신 예술가들의 작품 전시와 수집에 일정 비용과 공간을 지원하여 현대미술 작품 수집이 상대적으로 쉬워지고 각 지방 미술 시장이 빠르게 성장하게 되었다. 각 지방 학교와 전시관의 협력으로 주민들과 거주 청소년들의 문화 활동을 위한 예술 교육 환경도 개선되었다. 또한, 프랑스의 다른 지방이나 해외 예술가들의 작품들도 순환 전시하여 주민들의 문화생활의 폭을 넓히고 있다.

미셸 푸코는 특정 권력이 근대사회로 오면서 경제성을 포함한 새로운 정치경제학으로 확립되면서 기존의 추방과 격리에서 벗어나 통제와 관리를 목표로 하는 사회적 조절의 수행되는 것을 밝혔다. 그러므로 근대사회의 규율 권력과 제도는 위법활동을 근절하기 위해서가 아니라 관리와 정상화를 위한 장치이며 도시 공간의 분할도 규율을 통한 조절, 통제, 관리를 위함이라고 할 수 있다. 이러한 통치는 주권과 대립하는 것으로 사람들을 적절한 목적으로 이끌기 위해 사물을 올바르게 배치하는 일이다. 이러한 규율과 통제를 중심으로 하는 도시화인 내치의 통치성은 전반적인 도시화 속에서 모든 분야의 규율로 작동한다. 그러나 근대적이고 현대적인 통치성으로 전환되는데 그 특성은 국가에 대항하는 시민이 주체가 되는 사회, 생산, 순환, 소비의 과정을 만드는 과정, 인구와 연결한 공중위생, 규제가 아닌 조절과 안전메커니즘의 확보, 자유주의 등이다. 그러므로 새로운 시대의 통치성 특성을 정리하면 시민이 주체가 되어 직접 생산, 순환, 소비하고 권력의 통제보다는 안전메카니즘을 통한 조절을 통해 자유로운 시민 사회가 된다. 푸코의 통치성 개념은 지식-권력-통치의 연속적인 연계로 서유럽 특정 시기의 지배 원리로 이해되므로 전체 사회를 구성하는 특정 분야에서도 적용할 수 있다.

이러한 푸코의 지식-권력, 주체의 생산과 소비, 그리고 순환의 통치성을 예술 분야와 전시공간에 적용하여 살펴보면 기존의 전시공간과 다른 프락만의 새로운 사회적 역할의 가능성을 확인할 수 있다. 우선 주체와 생산의 관점에서 살펴보면, 프락은 중앙정부와 지방정부가 지원하지만 독립된 운영조직으로 자율적이며 미술 작품을 위한 창작자의 지원과 소장 작품의 선정 등 민간과 전문가의 역할이 절대적이며 이는 미술 작품을 직접 발굴하는 방식으로 통치의 가장 중요한 주체의 역할이 명확하다. 순환과 소비의 관점에서 프락은 기존 다른 미술관과는 다른 특성이 있는데 23개의 미술관이 네트워크로 되어있다는 사실이다. 이는 단순한 네트워크가 아닌 23곳에서 발굴한 다양한 작품을 이용한 미술 작품의 순환 전시가 가능하며 실제로 타 미술관과 비교해 순환 전시 작품의 비율이 높다는 사실로도 증명된다.

각 프락은 예술품의 규모와 사용자의 활동으로 미술관의 공간이 결정되는데 대다수 공간은 기존의 건축물을 이용하지만, 규모가 큰 경우에는 현대건축을 이용한 새로운 미술관이 설립되었다. 그 결과 전체 조직 내에서 6개의 대형 미술관과 그 이외의 미술관 등 2개의 네트워크로 구분되어 효율적인 조직이 된다. 각 지방에 분포된 23개의 미술관은 중앙정부의 권력을 미세하게 나누고 조절이 가능한 조직으로 분화된다. 이는 전염성의 시대에 격리라는 통제나 규제보다는 접종이라는 안전장치를 통해 질병을 조절하듯이 미술관과 현대예술작품은 기존 미술관 내부에서 전시하는 시각적 지식과 배치의 권력이라는 기능에서 벗어나 교육 프로그램, 외부공간에서의 전시 등 새로운 방식으로 안전장치의 통치가 될 수 있다. 프락의 통치성 개념과 관련된 요소와 그 특성을 정리하면 다음과 같다.

전시공간의 새로운 사회적 역할과 공간구성 특성

요소	내용	특성
생산	예술품의 직접적 생산	교육 프로그램 예술가 발굴
소비	예술품의 전시, 관람	예술의 직접적 소비
순환	23개 네트워크	프락 간 연결, 교류
효율	대형 조직의 경제성	직접 생산과 직접 소비의 연결, 네트워크
조절	통치 가능한 조절	자치조직, 통치 가능한 중앙 조직

For the research of new social role of exhibition space, investigation on characteristics of FRAC(Fonds Régional d'Art Contemporain) which is focused on the change of social role has been conducted. The program, site plan, spatial composition, organization system of 23 FRAC in France are analyzed.

The result of this research can be summarized as followed. First of all, the social roles of exhibition space are developed and changed from exhibition, connection with interior and exterior space, diverse circulation, social contact, urban regeneration through social demands. The second one is that FRAC is the localized contemporary art platform which is focused production, circulation, consumption of art in all regions of France. The third one is that the new social role of exhibition of FRAC can be explained with Michell Foucault's governmentality and spatial composition of FRAC is allocated and designed according to new social role.

Based on the result, the new social role of exhibition space reveals the diversity and networking of contemporary society and it can be explained with govermentality by Michell Foucault.

제3장 사는 것이 아닌 사는 곳

13. 같이 사는 사회
14. 임대 주거
15. 경계 허물기
16. 감염병에 따른 주거시설의 건축계획적 변화

제3장　사는 것이 아닌 사는 곳

　　한국의 2017년 통계청 주택보급률은 103.3%, 총 주택 수는 이천만이 넘었고, 천 인당 가구 수는 395로 평균 400 중반에 가까운 유럽 수준에 가파르게 접근 중이다. 총 주택의 절반 이상이 대량 주택보급의 주거공급 수단인 단지식 아파트 주택이다. 단지식 아파트 주택의 공급은 주택 수의 양적 발전을 가져왔으나, 공적 공간의 사유화, 폐쇄적 공동체 형성, 집단 이기심과 같은 부작용들 또한 초래했다. 최근에는 공공기관에서 공급하는 공공임대주택에 대한 공간적, 사회적 배제 문제가 심각한 수준에 이른다.

　　현재 단지식 주거공급에 따른 공간 관계의 단절과 이로 인해 파생하는 문제점들을 극복하려는 노력으로, 최근 지역사회와 통합을 위한 주거지 혹은 지역융합을 위한 소규모 블록 중심의 주거지 조성과 유사한 관련 연구들이 진행 중이다. 한편, 단지 내외의 공간적 위계의 물리적 연계와 연속적 관계의 사회통합적 개념 중심의 공공주택이 공급되지 않았던 것만큼, 아파트 단지식 공공주택의 단지 내외 공간구성과 관계망의 요소들 즉, 단지개발에 의한 주변 환경, 단지 경계, 단지 내 차로와 보행로에 따른 외부공간의 연속성 변화 등에 관련된 연구가 요구된다.

13. 같이 사는 사회

공공기관이 공급하는 공동주택의 유형, 곧 공공주택 유형은 크게 공공임대주택, 공공분양주택, 혼합단지(분양+임대, 임대+임대)로 구분된다.[52] 현재까지 공공주택 공급은 저소득층의 주거비 경감을 위한 공공분양주택과 공공임대주택이 다수를 차지해왔고, 사회통합을 위한 노력의 일환으로 혼합단지의 공급이 이루어져 왔다. 그러나 이러한 단지식 공공주택은 도시와 선형적 가로생활 중심의 긴밀한 관계나 상보적 관계를 갖기보다는 폐쇄성이나 집단성과 같은 단절된 빗장 공동체의 성격을 띠며, 사회적 편견과 주변단지 간 갈등으로 인하여 사회·공간적 관계망을 형성하지 못하고 오히려 느슨하게 하거나 해체하고 있다.

여러 연구에서 이러한 문제들에 대해 개선안을 제안하고 있는데 요약하면 다음과 같다. 먼저 공공주택의 개선안 연구로 아파트: 공적 냉소와 사적 정열이 지배하는 사회[53]는, 위계적 구조보다는 그물망 구조의 주거지 계획을 주장하며, 소필지 단위 개발, 공공공간이 일상공간으로 확장될 수 있는 사람 중심의 생활가로와 연도형 주택 등을 제시하고 있고, 사회통합을 위한 공공임대주택단지의 사회적 혼합방안[54]은, 주변 지역의 거점으로 활용하여 상호 접촉기회를 증대시킬 수 있는 공용시설 배치와 외관상 임대와 분양을 구분, 외벽 마감재나 형태적 차별, 단지 로고나 동별 번호를 구분하지 않아야 하는 것을 제안하고 있다.

보금자리주택단지의 사회적 통합을 위한 계획방안 연구55)는, 동일한 외관디자인과 상호 자연스러운 접촉 유도의 옥외공간 계획, 중앙광장을 중심으로 보행네트워크 조성, 위계적 연결을 통한 커뮤니티 활성화 등을, 도시주거공간의 사회통합 실현방안 연구56)는, 도시 주거공간의 사회통합방안으로 편중되지 않는 다양한 입지확보, 소규모 단지로 분산, 고품질을 통한 낙인화 방지, 노후영구임대주택 리모델링 및 부분 재건축으로 차상위 계층 진입을 유도하는 방안을 제안하고 있고, 국민임대주택의 사회통합적 계획방안 연구57)는, 도시차원의 사회통합 실현으로 단지 간 보행네트워크 연계와 접촉 공유시설 배치, 도보권 근린관계와 문화복지시설 조성을 통한 지역문화 거점 확보, 단지 차원에서 단지 배치와 주거동 군집을 분산 배치, 인접 주거동 규모 차이 최소화, 경계화 금지, 주거밀도 균등과 마감재나 외관 구분이 없는 균형적 디자인 적용, 접촉기회 증대를 위한 공유영역 조성을 제시하고 있다.

기존 아파트 단지식 공공주택에 관한 기존의 연구들은 단지 형태의 주택 공급에 대한 사회적·공간적 배제 현상을 지적하고 정책, 관리, 계획 기준의 대안을 제시하고 있는데, 이를 물리적인 요인에 의한 공간 관계의 관점에서 살펴보면 도시 차원에서 공간적 관계의 불연속성, 단지 계획 측면에서 단지 내외의 물리적 경계 설정에 의한 분리 및 단절, 주거동 계획 측면에서 주거동 내 입주민의 교류 접촉 기회를 제공할 수 있는 커뮤니티 공간의 부족 등으로 압축할 수 있다

공공주택의 연구 내용

구분	주요 내용
도시영역	도시 조직과 단지 간 연속적 공간 관계망 형성
단지영역	단지 울타리에 의한 분리 및 단절 제거
주거동영역	접촉 및 교류 공간 조성

　　도시적 차원에서 접근성과 유동성이 유리한 입지, 개방적 공간구성, 도시성과 공간적 위계와 접점확보, 인접 단지와 도시기반시설 등과 지역에서 요구되는 공공시설 연계, 이를 지역 주민과 공유, 상가와 도시 가로공간 접점확보, 자족적·완결적 구성보다 상호 적극적 연계를 통한 물리적 연속성 유지, 가로와 연접, 가로공간 활성화, 활성화된 가로공간이 단지 내부 공간과 긴밀히 연계, 선형적 가로 생활중심 설정이 주요한 방안으로 정리될 수 있다. 단지적 차원에서 단지 내외 호혜성 공간, 곧 중첩적 도시생활공간의 조성 필요(가로공간의 가구분할과 중첩, 관통녹도), 단지 주변 균형적인 주거밀도 조성, 공용공간/부대복리시설 활용한 커뮤니티 활성화, 옥외생활시설의 개방성과 자연감시기능 확보, 가구 간 내부 가로망 상호 연계를 현재 단지의 문제점에 대한 처방으로 들 수 있다. 주거동 계획 측면에서는 프라이버시와 교류 기회를 동시에 고려한 주거동 내 커뮤니티 공간구성, 지상층 주민과 함께할 수

있는 공용공간 조성, 단지 내외 경계부뿐만 아니라 단지 내 접촉 및 교류 기회 증대를 위한 주동과 공용공간이 긴밀히 연계된 순환형 보행로 조성(공용공간 연결성 확보) 등이 필요한 것으로 정리할 수 있다[58].

기존 연구에서 지적하고 있는 단지식 주거공급에 관한 물리적인 요인의 문제의식에 대해 다음의 세 가지 방안으로 정리된다. 먼저 단지식 공공주택 공급 계획이 기존 도시 공간 구조체계와 소규모 단위의 주거지 계획과 정합성이 낮은 측면은, 공공주택이 도시와 접촉하면서 사회성을 활성화할 수 없는 가로공간 때문인데, 이것은 선형적 접근이 가능한 소필지 공공주택 공급 혹은 선형적 접근의 단지와 주동 배치로 가능해진다. 다음으로 단지 내외 호혜적 관계성을 띠는 경계부 공간 조성, 복리 및 편의시설 가로 배치 등을 통해 도시와 연속적 공간 관계뿐만 아니라 단지 입주민과 인근 주민의 교류, 접촉기회를 증대시킬 수 있다. 첫 번째와 두 번째는 단지식 아파트의 폐쇄성을 완화하거나 단절성을 연결성으로 바꿀 방안이다. 마지막으로 단지 내 주동의 커뮤니티 활성화를 위한 공용공간과 같은 공동성 공간을 조성하는 것으로서, 단지 입주민의 교류뿐만 아니라 첫 번째와 두 번째 안이 적용되었을 때, 단지 밖 공적공간이 단지 내 공용공간과 긴밀한 관계를 맺어 인근 주민의 교류 기회 또한 증대시킬 가능성을 높인다. 이러한 점들은 단지성 해체 절차의 사회 통합적 방향이 타당한 것으로 상정할 수 있다.

14. 임대 주거

한국의 대량 주거공급 수단인 분양, 임대, 혼합 등 다양한 단지식 아파트는 주택의 양적 발전에 기여한 공이 크나 그 부작용 또한 적지 않다. 물리적으로 폐쇄적인 단지식 아파트가 야기하는 문제점들은 공유지 사유화, 빗장 공동체, 집단 이기심과 배타성, 기존 도시구조 파괴, 당대 도시재생 및 도시계획과 낮은 정합성 등을 들 수 있다. 이번 연구에서는 공공기관이 공급한 단지식 공공주택 중에서 물리적으로 폐쇄적이고 사회적 배타성이 두드러지는 수도권 단지들을 중심으로 서울 등촌7단지, 하남 풍산4단지, 서울 은평1지구1단지, 인천 청라LH4단지, 서울 강남3단지, 수원 호매실능실마을21단지 등 선정한 6개 공공임대단지를 연구 대상으로 삼고, 건축도면과 현장조사 등 실태조사를 통하여 개발 전후 주변 환경과의 관계성과 현재 단지 내외부의 공간구성 등 공간적 관계망을 분석하여 그 특성을 파악하고자 한다.

선정한 수도권 6개 단지별 공간계획 및 공간구성의 특성은 다음과 같다. 서울 등촌7단지는 1994년 등촌지구에 공급된 공공주택으로 1,146세대, 12층 3개동, 15층 3개동, 3층 주거복지동, 2층 상가로 구성되었다. 입주자 특성은 기초생활보장 수급자인 1종 의료 541세대, 2종 의료 160세대, 한부모 가정 18세대, 그리고 국가유공자 8세대이다. 등촌7단지는 사회복지관과 판매시설이 있으며, 무장애 시설, 공용공간, 보행로, 차로, 주차장 등이 설치되어 있다.

단지 주 출입구는 8단지와 7단지 측면에 각각 있으며 각 동 출입
구까지 단지 내 도로가 있으며, 보행자 통로는 주 출입구 이외에
단지 내 경계에 설치되어 있다. 외부공간의 가장 큰 특징은 많은
공간을 차지하는 지상주차로 주차면수는 지상 총 245면으로 구성
되어 있다.

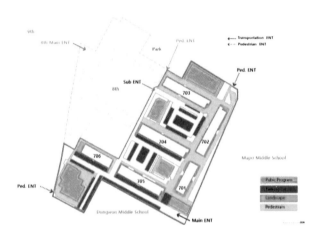

서울 등촌7단지 공간구성

하남 풍산4단지는 2008년에 공급된 330세대, 13층 7개동과
1층 상가로 구성된다. 단위세대 평면형식 및 전용면적은 87.99㎡
208세대와 101.47㎡ 122세대로 구성되어 있다. 주차면수는 지상
131면과 지하 214면으로 구성되어 있다. 입주자 특성은 기초생활
보장 수급자인 생계의료 12세대, 주거급여 2세대, 독거노인 9세대,

그리고 장애인 18세대이다. 경로당, 운동시설, 어린이 놀이터, 관리시설, 판매시설이 1개소 있으며, 무장애 시설, 공용공간, 보행로, 차로, 주차장 등이 설치되어 있다. 주출입구는 옆 단지와 공유하고, 지상 주차를 포함한 주동의 배치는 전형적인 판상형 구성이다.

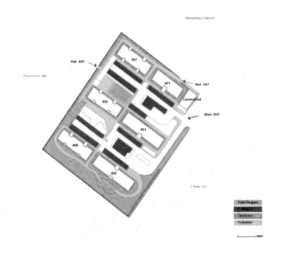

하남 풍산4단지 공간구성

서울 은평1지구1단지는 2008년에 공급된 공공주택으로 707세대, 7-12층 11개동, 1층 3개동의 상가로 구성된다. 그중 국민 및 장기전세는 403세대로 단위세대 평면형식 및 전용면적은 39㎡ 322세대, 49㎡ 50세대, 59㎡ 31세대로 구성되어 있다. 주차면수는 지상 58면과 지하 825면으로 구성되어 있다. 부대복리시설은 경로당, 어린이집, 작은도서관, 운동시설, 어린이 놀이터, 판매시설이 있으며, 무장애 시설, 경사로, 자동출입문 등이 설치되어 있다. 단지

내 중심에 공용공간을 두고 주동은 주변에 경계를 이루는 구성을
한다.

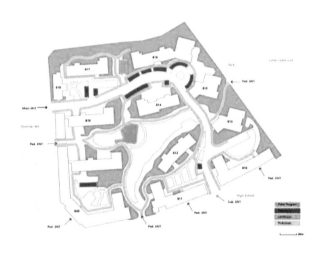

서울 은평1지구1단지 공간구성

인천 청라LH4단지는 2011년에 공급된 1,767세대 중 국민
1,255세대로 8-20층 12개동과 주거복지동 3개동으로 구성되었다.
단위세대 평면형식 및 전용면적은 36.74㎡ 216세대, 36.86㎡ 406
세대, 36.66㎡ 45세대, 46.64㎡A 90세대, B 125세대, C 205세대,
그리고 59.95㎡ 168세대로 구성되어 있다. 입주자 특성은 기초생
활보장 수급자인 1종, 2종 의료 128세대, 한부모 가정 42세대, 국
가유공자 2세대이다. 사회복지관과 판매시설이 있으며, 무장애 시
설, 보행로, 차로 등이 설치되어 있다. 중앙차로를 중심으로 방사선

배치를 이루며 주차면수는 지상 10면, 지하 1,790면으로 구성되어 있다.

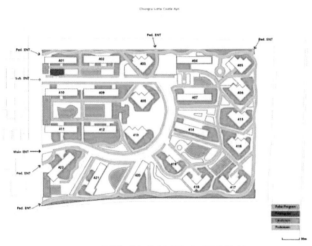

인천 청라LH4단지 공간구성

2013년에 공급된 서울 강남3단지는 1,065세대, 각 동 4층과 15층 혼합의 15개동으로 구성되었다. 단위세대 평면형식 및 전용 면적은 21.78㎡, 29.43㎡, 36.62㎡, 36.05㎡, 46.71㎡, 46.05㎡, 그리고 46.01㎡로 구성되어 있다. 주차면수는 지상 207면, 지하 672면으로 구성되어 있다. 입주자 특성은 기초생활보장 수급자인 1종 의료과 2종 의료 214세대, 국가유공자 23세대이다. 공공시설로는 사회복지관과 판매시설이 있으며, 무장애 시설이 설치되어 있다. 주동은 4층과 15층이 혼합되고 사이공간에 공용시설을 배치하여 단지 내 배치의 위계를 없앤 것이 특징이다.

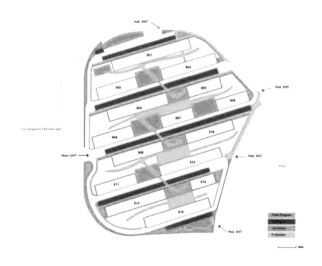

서울 강남3단지 공간구성

수원 호매실능실마을21단지는 2018년에 공급된 공공주택으로 전체 1,100세대 중 행복주택은 400세대이며 20층 2개동으로 구성되었다. 단위세대 평면형식 및 전용면적은 59.98㎡, 21.49㎡, 26.51㎡, 그리고 36.38㎡로 구성되어 있다. 주차면수는 지상 92면, 지하 912면으로 구성되어 있다. 사회복지관과 판매시설이 있으며, 무장애 시설, 공용공간, 보행로, 차로, 주차장 등이 설치되어 있다. 주출입구 주변에만 지상주차를 두고 주동의 규칙적인 배치가 특징이다.

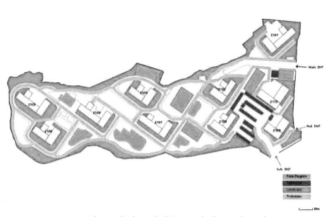

수원 호매실능실마을21단지 공간구성

　　수도권 6개 사례는 모두 주변의 택지 개발과 대규모 개발의
일부로 공동주택 지구 내에 있다. 이는 기본 택지개발로 인한 도로
체계 안에서 개발이 되거나 단지개발을 위한 새로운 도로체계가
형성되었다. 또한, 각 단지는 주변의 단지들과 유사한 시기에 단지
별로 개발되어 단지별 공간구성이라는 명확한 경계 및 공간특성이
나타난다. 2000년대 이후 지상층의 주차는 사라지고 지하주차장의
제공으로 인하여 차로와 보행로의 분리와 지상층의 다양한 공용공
간 제공도 큰 특징이다. 서울 은평1지구1단지, 인천 청라LH4단지,
수원 호매실능실마을21단지 사례들은 분양주택보다 단위면적이 작
으며 상대적으로 세대수가 많고 소셜믹스의 일환으로 일반 분양과
혼합되어 있다.

수도권의 대표적인 아파트 단지형 공공주택 6개 단지를 공간구문론을 통해 주변 도시조직과 단지 내외부공간의 공간특성과 관계 분석 결과는 다음과 같다.

서울 등촌7단지와 하남 풍산4단지는 개발 이전의 도시구조가 급변하지 않고 유지되면서 주변 환경과 함께 택지개발이 이루어졌다. 그러나 서울 은평1지구1단지와 인천 청라LH4단지는 일부 도로의 신설, 서울 강남3단지와 수원 호매실능실마을21단지는 새로운 도로체계의 형성이 이루어져 주변 공간구조가 변화가 나타난다. 또한, 모든 사례에서 주변 도로가 단지의 강한 경계 역할을 하고 있다. 그러나 서울 등촌7단지 외부공간은 하나의 도로체계 및 공용공간으로 계획하여 단지 내부차로, 보행로, 외부공간 등을, 하남 풍산4단지는 주 출입구의 도로를 주변단지와 공유하여 단지별 경계의 완화 및 접근성의 증가가 나타난다. 공간구문론 분석 결과, 주변 환경과의 연결도는 모든 사례에서 도로와 공용/공공공간 등에 의한 단절로 도시공간과 단지 간 공간관계망의 형성이 약하게 나타난다. 통합도는 일반적으로 단지 내 중앙이 중심공간이나 사례마다 편차가 커서 서울 은평1지구1단지와 인천 청라LH4단지는 1층 근린생활시설과의 연결이나 조경을 통한 경계단절 극복의 결과로 중심공간이 단지 내부가 아닌 경계부로 나타난다.

6개 사례 중 서울 등촌7단지 공간계획 및 공간구성의 특성을 구체적으로 분석한다. 서울 등촌7단지는 1994년부터 양천로, 공항대로, 화곡로, 강서로 등으로 구획된 등촌지구의 대단지 택지개발을 통해 공급된 대표적 공공주택 중 하나로서, 단지 반경 1km 내에는 교통, 교육시설, 편의시설, 자연녹지 등이 형성되어 당시와 비교하면 입지조건이 향상된 상황이다.

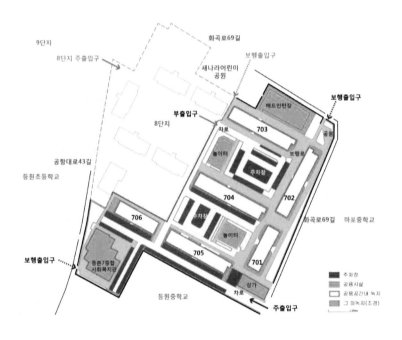

서울 등촌7단지 배치도 및 주요 시설

단지 내외부 공간은 주거동별 주출입구까지 각동을 연결하는 차로와 보행로를 중심으로 연결되고, 이를 중심으로 지상주차장과 공용공간이 형성된다. 단지 주출입구는 8단지와 7단지의 측면에 각각 설치되어 있고, 각 동 출입구까지 도로로 연결되어 있으며, 보행자 통로는 주출입구 이외에 새나라 어린이 공원, 노인정, 사회복지관 등 단지 안쪽 경계에 설치되어 있다. 사회복지관, 판매시설, 노인정, 관리사무소, 녹색가게, 장애인주간보호센터, 아동발달지원센터, 건강관리실, 프로그램실, 장난감도서관, 회의실, 대강당 등의 다양한 부대복리시설이 설치되어 있고, 무장애시설로는 주동과 부대복리시설에 경사로와 자동출입문이 설치되어 있다.

서울 등촌7단지는 공동주택으로 개발되던 1994년 이전에는 전답으로 이루어진 땅이었고, 1985년 마포중학교, 마포고등학교, 경복여자고등학교, 경복 비즈니스 고등학교, 동원초등학교, 동원중학교, 동현초등학교 등이 서울 등촌7단지 주변으로 이전하였다. 당시 등촌지구는 공공임대주택인 서울 등촌7단지 이외에도 등촌주공 1-11단지와 민간아파트인 부영, 대림, 진로 아파트 등이 건설되어 대단지로 구성된다. 등촌지구의 대규모 아파트 단지는 주도로인 양천로를 중심으로 근린생활건물들이 들어서기 시작하여 공항대로, 화곡로, 강서로 등 현재와 같은 도로체계를 중심으로 발전하게 된다.

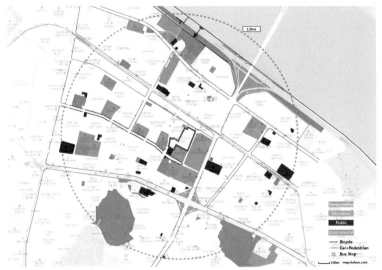

서울등촌7단지 반경 1km 내 주변도

단지 주변 공간의 단절성과 폐쇄성에 관한 단지 내외 경계부 (분리와 단절 요소)의 관계를 파악하기 위해서, 주변과의 관계를 먼저 살펴보면, 서울 등촌7단지는 단지 경계도로와 다양한 물리적 경계요소에 의하여 나뉘어진다. 주출입구와 건너편 마포중학교 사이 공간구성을 살펴보면, 단지 내 보행로는 단지 내 조경과 울타리 그리고 외부 보행로와 울타리로 명확한 경계를 형성하고 있고, 마포중학교는 견고한 벽돌담과 상부 울타리가 폐쇄적 공간성을 강화하고 있다.

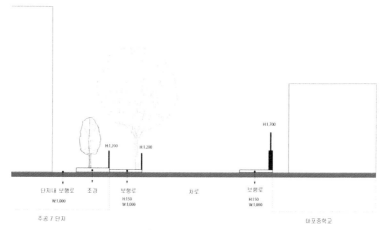

단지내 보행로
W:1,000

조경

보행로
H:150
W:1,000

차로

보행로
H:150
W:1,000

H.1,200

H.1,200

H.1,700

주공 7 단지

마포중학교

서울등촌7단지 경계부

　　서울 등촌7단지 내외부 공간구성과 관련된 CPTED의 주요 항목인 특정 공간의 안전도는 통제도와 관련이 있다. 임의의 공간이 주변 공간과 연결된 정도로 통제도가 높은 공간은 주변 공간에 많은 영향을 준다. 서울 등촌7단지 보행로의 통제도가 높은 곳은 기존의 연결도와 통합도가 높은 주출입구이지만, 보행자 중앙도로가 아닌 7단지의 704동과 8단지의 802, 803동을 연결하는 도로다. 이는 7, 8단지 공간의 중앙이며 보행자가 단지 내 이동할 때 가장 많이 이용하는 통로 공간이다.

　　현재 CCTV 위치는 각 동의 모서리 부분과 공용공간을 파악하기 좋은 곳에 설치되어 통제도가 높은 7단지(704동)와 8단지(802동, 803동)를 연결하는 단지 내 도로에는 CCTV가 설치되어 있지 않으나, 사회복지관과 판매시설은 통제도가 낮아 다수의 CCTV로 보완하고 있는 것을 알 수 있다. 공간구문론 분석의 통제도와 현재 서울 등촌7단지에 설치된 CCTV 위치와 비교할 때, 통제도가 높은 곳은 자연감시가 일어나고 있으므로, CCTV는 그렇지 못한 공간에 배치가 되어 있음을 알 수 있다

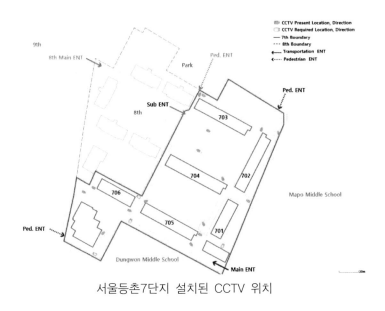

서울등촌7단지 설치된 CCTV 위치

1990년대 건설된 단지식 공공임대주택인 서울 등촌7단지의 분석 결과는 다음과 같다. 1992년 서울 등촌7단지 건설 이전과 현재의 도시공간구조를 비교했을 때, 기존의 주도로를 중심으로 택지 개발이 이루어져 주변 환경과 함께 지속적으로 발전한 것을 알 수

있다. 이점은 이론적 고찰에서 살펴봤듯이 현재 택지개발이 이전의 소규모, 저층 주거지의 작은 도로, 골목, 공공공간을 소거하는 부정적 방식과 다른 점을 보여주는 것으로 볼 수 있다.

서울 등촌7단지는 연접한 8단지와 하나의 도로체계 및 공용공간으로 계획되어 있어서 단지 내부차로, 보행로, 외부공간 등을 공유하고 있다. 이로 인해 차로는 연결도와 통합도가 높은 8단지 출입구 쪽이 중심공간으로 나타나고, 7단지 출입구는 부출입구의 역할을 하고 있다. 보행로의 경우는 차로와 다르게 7, 8단지 내 중앙도로가 중심공간으로 나타난다. 이 결과는 7단지의 주출입구 배치, 접근성을 통한 이동률 예측, 그리고 상가의 배치 계획 등의 잘못으로 각각의 기능이 제대로 구현되지 못하고 있다.

서울 등촌7단지의 경계부를 형성하는 조경, 울타리, 인도, 차도는 단지 내외 경계부의 분리 및 단절을 명확히 하고 있으므로, 도시 공간과 단지 간 공간관계망의 형성이 약하게 나타나고 있다. 이러한 점들은 이론적 고찰에서 지적하고 있는 것과 같이 단지식 공공주택의 폐쇄성, 단지 내외 공간관계망의 단절성, 집단성 유발, 배타적 공간성 등의 부정적 요인을 내재하고 있음을 보여주고 있다.

CPTED와 관련된 통제도 값이 큰 서울등촌7단지 내 중심도로는 CCTV를 통한 감시보다는 자연 감시가 이루어지고 있고, 통제도 값이 낮은 공간은 CCTV를 통해 자연 감시가 어려운 점을 보완하고 있음을 보여주고 있다. 이러한 통제도 값을 통해 파악할 수 있는 공간의 적절한 배치가 단지 내외 조밀한 공간관계망을 개선할 수 있는 수법으로 활용될 수 있음을 알 수 있다.

The purpose of this study is to analyze the features of outdoor spatial composition in apartment complex-type public permanent rental housing to provide the architectural planning information of apartment housing in Korea. Current status of outdoor space for transportation, pedestrian in apartment complex and road system around 1km from apartment complex were analyzed with field survey, architectural drawings review and space syntax in 6 selected apartment complexes(Seoul deungchon 7th, Hanam poongsan 4th, Seoul eunpyeong 1st, Incheon chungra 4th, Seoul gangnam 3rd, Suwon homaesil 21st) in Seoul metropolitan area.

The characteristics of outdoor spatial composition of 6 apartment complexes are followed. First of all, the spatial composition of road system in and around 1km of Seoul deungchon 7th and Hanam poongsan 4th apartment complexes after development is similar with that of before development, and others have changed with development of public housing and the development is not constricted in the boundary of previous developed road system. The second one is that relationship between housing complex and neighborhood has weak network and strong physical boundary, but some cases tired to share transportation and pedestrian roads and main entrance with neighborhood. The third one is that Integration(3) value reveals the main space is usually center of housing complex, but Seoul eunpyeong 1st and Incheon chungra 4th apartment complexes have increased network connection with landscape and neighborhood living facility and main gate area in Suwon homaesil 21st case.

It is necessary to analyze the relationship between other complexes to develop spatial composition of apartment complex-type public rental housing architecture.

15. 경계 허물기

현대 한국 내 단지식 주거공급의 가장 큰 문제점으로 공유지 사유화, 이기적 집단성과 배타성 등 문제들이 제기되어 왔다. 최근 단지식 주거공급 정책에서 새로운 형태의 유형으로서 기존 도로체계를 중심으로 소필지 단위 저층의 고밀도 주거공급 등이 제시되어왔다. 이러한 점은 도시구조와 주거공간 사이 연속적이고 맥락적이며 관계적인 공간망의 네트워크를 형성하며, 단절 혹은 폐쇄의 단지성보다는 단지식 주거공급의 대전환, 소극적으로는 단지 내외 연속된 공간 관계망을 형성할 수 있는 주거공급이 되어야 함을 나타내고 있다. 본 연구는 수도권 공공주택 영구임대아파트 내외부 공간구조의 경계와 물리적 단절성을 분석한다.

단지식 공공주택이 도시와 선형적 가로생활 중심의 긴밀한 관계나 상보적 관계를 갖기보다는 폐쇄성이나 집단성과 같은 빗장 공동체의 성격을 띠며 사회적, 공간적 관계망을 조밀하게 하지 못하고 오히려 느슨하게 하거나 해체하고 있다. 국민임대주택의 사회통합적 계획방안 연구[59]는 도시 차원의 사회통합 실현으로 단지 간 보행 네트워크 연계와 접촉 공유시설 배치, 경계화 금지, 접촉 기회 증대를 위한 공유영역 조성을 개선안으로 제시하고 있다. 도시적 차원에서 접근성과 유동성이 유리한 입지, 개방적 공간구성, 도시성과 공간적 위계와 접점확보, 자족적 완결적 구성보다 상호 적극적 연계를 통한 물리적 연속성 유지, 가로와 연접, 가로공간

활성화, 활성화된 가로공간이 단지 내부 공간과 긴밀히 연계, 선형적 가로생활 중심 설정이 주요한 방안으로 정리할 수 있다.

선정된 6개 단지 경계부 분석 결과 경계에 관련된 요소들은 차로에 의하여 각 단지 구획이 되어 명확히 단절되었다. 이는 단지 계획단계에서 결정되는 요소이다. 그러나 서울 등촌7단지와 하남 풍산4단지와 같이 옆 단지와 출입구와 도로를 공유하거나 일부 도로를 공유하는 사례도 나타난다. 이는 단지의 규모가 작은 445세대의 등촌8단지가 7단지 사례에서 옆 단지와 기반시설의 일부를 공유하는 것으로 나타난다. 그리고 하남 풍산 4단지의 사례에서는 옆단지와 주출입구의 도로를 공유하여 혼잡한 주출입구 주변의 공간을 확보한다.

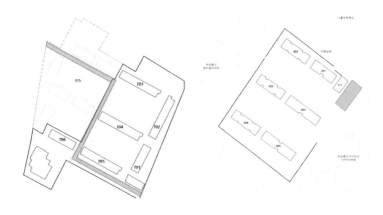

서울 등촌7단지   하남 풍산4단지
단지 주변 물리적 경계의 공유 사례

또한, 6개 모든 사례에서 상가, 사회복지관, 어린이집 등 다양한 공공시설들이 단지의 경계 부위에 위치하여 별도의 물리적 경계없이 시설 자체가 단지의 경계의 역할을 한다.

사례 단지별 경계부 공공시설

사례 단지	공공시설
서울 등촌7단지	상가, 사회복지관
하남 풍산4단지	상가
서울 은평1지구1단지	저층부 상가
인천 청라LH4단지	상가, 어린이집, 작은도서관, 피트니스센터
서울 강남3단지	상가
호매실 능실마을21단지	상가

모든 사례에서 단지 주변 도로의 경계를 조경, 보행로, 차로, 단지 경계 펜스, 도로 펜스, 주변 건물 담과 펜스 등 단절 요소들의 명확한 경계로 인한 물리적 단절이 나타났으나 물리적 단절의 정도는 사례에 따라서 다양한 요소들의 조합으로 나타난다. 서울 은평1지구1단지와 인천 청라LH4단지는 경계 펜스와 같은 명확한 단절 요소들을 사용하지 않고 보행로와 가로수를 이용한 물리적 경계를 형성하여 물리적 단절이 가장 약한 것으로 나타난다. 호매실 능실마을21단지와 하남 풍산4단지는 중간 정도의 단절이, 서울 등촌7단지와 서울 강남3단지는 강한 물리적 경계가 나타난다.

사례 단지별 물리적 단절 요소

사례 단지	물리적 단절 요소	단절정도
서울 등촌7단지	조경, 보행로, 차로, 경계 펜스, 도로 펜스, 주변 건물 담과 펜스	강함
하남 풍산4단지	조경, 보행로, 차로, 경계 펜스, 도로 펜스	중간
서울 은평1지구1단지	조경, 보행로, 차로	약함
인천 청라LH4단지	조경, 보행로, 차로	약함
서울 강남3단지	조경, 보행로, 차로, 경계 펜스, 도로 펜스, 주변 건물 담과 펜스	강함
호매실 능실마을21단지	조경, 보행로, 차로, 경계 펜스	중간

　　서울 강남3단지 경계의 단면 다이어그램을 살펴보면 조경, 보행로, 차로, 경계 펜스, 도로 펜스, 주변 건물 담과 펜스 등 가장 많은 단절 요소를 사용하여 경계의 물리적 단절이 강하게 나타난다.

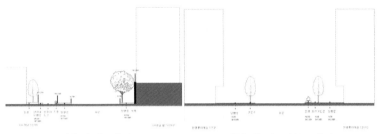

서울강남3단지　　　　　서울 은평1지구1단지
물리적 경계의 단면 다이어그램

자연요소인 조경을 이용한 물리적 경계를 형성한 경우는 가로수와 같이 선적인 요소로 사용하거나 잔디 및 정원과 같이 면적인 요소로 사용한다. 조경요소를 가장 많이 사용한 인천 청라 LH4단지는 물리적 경계의 역할은 외부 가로의 선적인 요소보다는 단지 내, 외부 정원 등 조경을 이용한 면적인 요소가 강하게 나타난다.

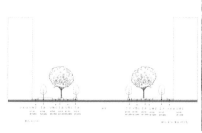 

인천 청라LH4단지 주변 물리적　　　　인천 청라LH4단지 조경을
　　경계의 단면 다이어그램　　　　　　이용한 물리적 경계 사례

　　또한, 하남 풍산4단지 사례에서는 단지 외부의 보행로가 단절 요소인 자동차 도로를 입체적으로 연결하는 경우가 나타난다. 기능적인 자동차도로는 주변 단지를 구획하는 경계를 형성하나 입체 보행로의 경우 단절된 자동차 도로와 주변 단지를 입체적으로 연결하여 연속성을 형성하는 역할을 한다. 경계 펜스, 도로 펜스 등 명확한 물리적 경계형성 요소를 이용하지 않은 사례가 나타났는데, 인천 청라 LH4단지의 경우 천변 경사, 지형 등 지형 자체로

인하여 주변과 단절이 나타나나, 일부 경계를 제외한 단지 경계는 보행과 시각적 단절을 피하고 연속성을 형성한다. 서울 은평1지구 1단지는 단지 주변 도로의 경계를 단지 주동과 보행자도로가 직접 만나고 주동의 1층은 후퇴(setback)되어 있고 ㅁ자 주택이 연상되는 단지 내부 중정과 이로 인한 외부경계는 별도의 경계가 없이 건물이 경계가 된다.

6개 단지 사례를 공간구문론을 통하여 분석한 결과, 물리적 경계와 안전도는 공간분석요소 중 통제도와 관련이 있는데, 임의의 공간이 주변 공간과 연결된 정도로 통제도가 높은 공간은 주변 공간에 많은 영향을 준다. 모든 사례 단지에서 통제도 값은 0.999-1.000으로 높게 나타나서 단지 내 공간구조는 전반적으로 안전함을 알 수 있다. 대부분의 사례에서 통제도는 단지 내외부 경계부에서 낮고 중심부에서 높게 나타났으나, 서울 은평1지구1단지와 인천 청라LH4단지 사례에서는 경계부의 통제도가 제일 높게 나타난다. 이는 경계부가 상가, 근린생활시설이나 조경을 이용하여 경계가 완화된 곳으로 자연감시를 통한 통제가 일어나는 곳임을 알 수 있다.

The purpose of this study is to analyze the features of physical boundary and discontinuity in apartment complex-type public permanent rental housing to provide the architectural planning information of apartment housing in Korea. Current status of boundary in 6 apartment complexes in Seoul metropolitan area were analyzed with field survey, architectural drawings review and sectional diagram.

The characteristics of physical boundary and discontinuity are followed. First of all, the physical boundary is clearly discontinued with road system around apartment complex. The second one is that apartment complex which is separated with different levels of physical factors of discontinuity liks outer and inner roads, wall, fence, and landscape has weak network with neighborhood. The third one is that control value of space syntax is usually low in the boundary but some cases have high control value as a result of alleviation of physical boundary which is integrated with neighbourhood living facility and landscape.

16. 감염병에 따른 주거시설의 건축계획적 변화

현대사회 의료분야에서 건강과 질병의 개념이 사회와 시대에 따라 환자 개인의 치료라는 의학에서 공중위생으로 변화하면서 지역사회 전체라는 사회적 관점으로 확대되었다. 특히 최근 코로나 19(COVID-19) 등 급성 감염성 질병이 일반적인 질환인 개인적인 신체로부터 지역사회로 확대하면서 커다란 영향을 주고 있으며 이러한 감염병이 지역사회의 주요한 진료대상이 되는 상황이 나타났다. 도시건축공간 중 단위공간이자 개인적인 생활공간인 주거시설은 자가격리 등 감염병 방어공간의 주요공간이 되었다.

이러한 점을 고려하여 본 연구에서는 인간과 질병과 사회의 역학관계에 초점을 맞추어 한국 내 코로나 19 감염병이 지역사회의 다양한 도시건축공간 중 기본적인 생활공간이자 격리공간의 역할을 수행하는 개인 주거시설에 미치는 영향의 분석을 통하여 감염병에 따른 미래 주거 공간구성의 상관관계를 찾아보고자 한다.

미셸 푸코에 의하면 감염병과 관련이 있는 질병의 3차 공간화는 환자의 몸이라는 개인에 한정된 질병의 공간화와 다르게 질병이 확대되는 위험성을 포함하는 잠재적 사회와 지역의 차원이며 인간과 환경 사이에서 발생하는 공중보건과 관련된 공간이다. 이는 환자의 개별성으로 접근이 필요한 임상의 대상이 개인의 신체를 넘어 지역사회로 확대된다. 또한, 질병의 3차 공간화는 급성으로 발생하여 단기간에 막강한 영향력을 줌으로써 사회적인 문제를 발생시키는 특성으로 인해 사회 문화적 영향력이 나타나는 다양한 공간과 연관된다. 최근 코로나 19로 인하여 감염병의 대유행이 지역사회에 반복되면서 발생하고 있으며 이에 관련된 공간들은 다양하게 조직되고 구성되어 있다. 한국 내 감염병에 관련된 특수한 공간은 질병 검사 공간, 격리시설, 집중치료공간, 그리고 질병관리센터 등이다.

코로나 19 질병의 공간화 중류와 특성

분류	진단공간	격리공간	치료공간	관리공간
프로그램	의료시설	주거공간, 생활치료센터	의료시설	지역사회
대상	공공 의료	가족 간호	환자 진료	공공 의료
목적	지역사회 관리	가족 관리	환자 관리	지역사회 관리
활동	검사, 진단	개인 훈련	진료	관리
특성	전문가	개인/공공	전문가	공공
주체	의사/간 호사	부모	의사	행정가

코로나 19와 관련하여 개인 주거공간은 검사자가 선별진료소의 검사결과 증상이 없는 경우에 필요한 공간인 자가격리 시설이자 자택 치료 공간이다. 개인 주거공간은 본인의 판단하에 증상을 확인하면서 본인의 공간에서 스스로 격리하는 것이다. 현재 자가격

리 시설로서 개인 주거공간의 공간적 약점은 적절한 공간의 격리가 고려되지 못한 공간구성으로 인한 가족 간의 전파 가능성이다. 가족 간 일상생활 공간을 공유하지 않아야 하지만 현실적으로는 공간의 한계가 많으며 이를 위한 추후 독립된 별도의 출입구 및 내부공간 분리와 같은 적극적 건축 계획적 고려가 필요하다. 특히 한국의 대표적인 주거공간인 공동주택은 공용공간이 많아 감염의 전파에 노출될 가능성이 크다. 이에 따라 새로운 주거 공간의 변화가 요청된다.

코로나 19에 따른 주거시설 공간구성의 변화 특성

특성	내용
주거 유형	단독 주거의 선호 경향 증가
공동 주거 유형	탑상형보다 판상형 선호 복도형보다 계단실형의 선호
공공 공간	커뮤니티 센터의 가변성 선별 진료소 설치 등 감염병 대처 공간
단위세대 평면	별도의 출입 등 세대분리 고려 단위 세대 내부 실 분리 강화 베이(bay) 확장 선호 가변형 평면

한국 내 주거시설은 크게 단독주택과 공동주택으로 나눈다. 단독주택의 한 세대와 다세대로, 공동주택은 규모에 따라 다세대주택, 연립주택, 아파트로 구분한다. 경제적 가치 및 편의성 등 다양

한 가치로 한국의 주거 선호 유형은 개별 단독주택보다 공동주택
이다. 그러나 전염병의 팬데믹 상황에서는 안전에 관련된 공간 확
보에 유리한 개인공간의 확보 및 격리가 가능한 단독주택이 선호
된다.

공동주거의 유형 중 중앙에 코어가 있고 여러 세대가 모여
있는 탑상형이나 대규모 세대의 판상형보다 자연환기가 유리한 소
규모 세대의 판상형 또는 복합형이, 여러 세대가 공용공간의 복도
를 이용하는 복도형보다 계단실형이 유리하다. 공동주거의 공용공
간인 수직 코어의 관리가 필요하며 별도의 수직 코어 설치가 권장
된다. 커뮤니티 시설의 경우 선별 진료소 등 감염병에 대처할 수
있는 공간으로 전환할 수 있는 가변성이 요청된다. 공동 주택의 경
우 기존의 세대 기준 평면에서 세대 분리형 평면의 적용이 요청된
다. 단위 세대의 규모가 큰 경우는 세대분리를 통해 임대도 가능하
고 감염병 상황시 분리된 격리 공간으로 사용 가능하며 이를 적극
적으로 활용하는 것이 필요하다. 단위 세대의 평면은 중앙의 거실,
식당, 부엌의 공용공간을 중심으로 한쪽은 안방 침실 조닝, 반대쪽
은 별도의 침실 조닝으로 구분하고 가변형 평면을 통해 유사시 격
리 공간이 가능하다. 격리시 생활의 질을 위해 각 실의 기능이 유
지되는 4베이(Bay)가 요청된다.

The purpose of this study is to analyze the spatial configuration of housing facility according to the impact of COVID-19 and to provide the information of design methods in urban and architectural planning.

The research results are as followed. First of all, the type of housing facility will be changed from collective housing to private housing for public sanitary and private health protection. The second one is that the favorite type of collective housing will be staircase type than one side corridor type and tower type. The third one is that there will be needed extra vertical core space for emergency and space variability in the public space planning of the housing. The last one is that spatial configuration in unit plan will be changed to unit separation plan including separate entrance, room separation, plan variability. The impact of COVID-19 on spatial configuration can be summarized with spatial separation to small scale and zoning, security boundary formation, spatial and program variation of housing facility in Korea.

제**4**장　건강한 공간

17. 백 세 사회

18. 도심 속 치유환경

19. 문화와 건강

20. 건축공간구성을 통한 치유환경 조성

제4장 건강한 공간

최근 우리 사회의 화두는 건강과 공정인듯하다. 건강의 개념은 신체와 정신 질병이라는 직접 관련 있는 의료분야를 넘어서 지역사회의 전반적인 공중보건과 복지라는 질병의 공간화로 확장하고 있다. 이와 더불어 공정은 건강사회를 위해 구성원에게 주어지는 사회 공간의 평등한 기회 제공과 배분제도의 투명성에 집중한다.

도시에서 의료기관은 시간의 흐름에 많은 영향을 받는 시설 중 하나이며 공공영역으로서의 의료기관은 도시가 형성되고 확장되어 가면서 적절한 대응과 상호작용을 하면서 발전하였다. 의료기관은 기본적으로 환자를 수용하여 진단 및 치료하는 공간이며, 근대사회 서양에서 본격적으로 발전한 의료시설은 격리의 공간에서 발전하고 변화하여 현대에는 진료뿐만 아니라 질병의 예방과 재활을 포함하는 포괄적인 서비스로 확대되고 있다. 그러므로 시간 변화에 따른 의료기관의 다양한 변화와 발전 양상을 도시 공간의 변화과정과 변화요인과의 상관관계를 중심으로 고찰하여 병원건축에 영향을 미치는 요소를 파악하는 것이 중요하다.

17. 백 세 사회

　의료분야는 필요한 의료시설의 공급으로 신체적, 정신적 질병의 치료 기회를 제공하고 건강보험의 확대로 진료비 부담을 완화하고 있다. 의료시설은 진료, 입원, 예방, 재활 등 사회에서 일어나는 다양한 행위가 이루어지는 공간으로 최근에는 효율적인 동선과 업무적인 기능성을 중심에서 사용자 중심으로 전환되면서 치유환경의 중요성이 주목받고 있다.

　의료시설에서 치유환경은 크게 물리적 환경과 심리적 환경으로 나눌 수 있는데 물리적 환경은 건축 환경을 포함한 물리적 조건과 운영체계 등이며 심리적 환경은 감성공학을 통한 시설 사용자들의 심리 및 행태의 안정을 위한 것으로 정의된다. 치유환경은 기존 의료의 주요 개념인 질병의 치료(Curing)에서 예방과 건강증진 등 포괄적인 건강을 위한 치유(Healing)로 확대되면서 개념화되었다[60]. 건축 분야, 특히 병원건축에서 자연의 도입은 직간접적으로 치료의 경과와 결과에 효과가 있다.

　자연의 치유효과는 울리히(Ulrich)의 연구에 바탕을 둔 Stress Reduction Theory(SRT)[61]와 카플란(Kaplan)의 Attention Restoration Theory(ART)[62]에 근거를 두고 있는데 이 이론들은 자연과의 접촉이 긍정적인 자극이 되어 심리적 안정에 영향을 미친다고 하였다. 울리히(Ulrich)는 치유환경을 위하여 Movement &

Exercise, Social Support, Control, Natural Distractions 등을 제안하였다. 린톤(Linton)은 질병의 치유란 인간의 신체적, 정신적, 감성적, 정서적인 면과 환자의 내부적, 외부적 환경의 영향을 받는다고 하였다.63) 그리고 딜라니(Dilani)는 병원건축이 치유환경의 중요성을 언급하면서 기능과 표준화에서 벗어나 환자의 회복을 위한 공간 디자인을 주장하였고 병원은 환자들이 입원해 있는 동안 주거공간의 역할도 하게 되므로 의료시설은 의료기능과 더불어 휴식과 치유공간이 되어야 한다고 하였다.64)

의료시설 내 치유환경을 위한 공간구성 요소들은 크게 세 가지로 휴식을 위한 외부환경, 시각, 그리고 동선과 공간의 연계 등이다. 외부환경과의 연계는 환경친화적인 요소의 도입으로 외부환경과 유기적으로 관계 맺어 심리적, 시각적, 직접적 체험을 통하여 주변 환경과 잘 어우러져 외부환경의 내부화로 도시의 맥락을 이어나가게 할 수 있다. 시각의 연계는 시각을 이용하여 외부환경을 접하고 개방감, 간접적 커뮤니티, 공간 인식 등을 제공하며 내부공간에서 외부의 조망은 시각적 경험으로 의료시설의 주변환경과 공간의 간접적 연결과 연관되어 있다. 동선과 공간의 연계는 다양한 이질적인 공간의 연결을 통하여 내, 외부환경을 연결하고 이동 동선을 선택할 수 있어 공간의 연결과 연속성을 확보하게 된다. 의료시설인 병원은 사회적 접촉을 위한 공간 제공을 통하여 사회로부터 단절된 공간이 아니며 오히려 주변 도시 환경과 연결, 통합되며 커뮤니티를 위한 공동의 공간으로 바뀌게 되어 일상생활의 연속으로 느끼게 하여 편안함을 제공하게 되어 치유환경을 형성할 수 있다.

물리적 치유환경 요소 분류

분류	공간구성 특성
외부환경	외부환경의 내부화
조망	간접적인 공간 연결의 경험
동선	다양한 공간의 연결

치유환경을 위한 건축 계획적 요소들은 외부환경, 시각적 조망, 그리고 동선과 공간의 연계 등이며 이 요소들은 외부환경과 유기적으로 관계를 맺고 주변환경과 잘 어우러져 도시의 맥락을 이어나가게 된다. 이를 위하여 의료시설 주변 환경을 분석하고 대체 및 활용할 수 있는 환경을 구현하고자 노력하는 것이 필요하다. 이에 따라 구체적으로 연구로 서울지역 3차 의료시설들의 공간구성을 분석하고 주변 환경과의 상관관계를 파악하여 도시 의료시설의 주변 환경과 연계한 다양한 공간 활용을 통하여 의료시설의 치유환경 조성, 공공성, 지속가능성, 그리고 상호보완성을 확인하고자 한다.

서울지역 3차 의료시설은 본원과 다수의 분원이 있으며 지역적 분포는 주로 교통이 발달하여 환자들의 접근이 쉬운 서울 강북과 강남 도심지역에 밀집되어 있다. 의료기관과 주변 환경을 분석하는데 주변 자연환경 및 시각적 뷰를 통한 치유환경을 형성하는 사례와 주변의 주변 도시시설을 이용하여 의료시설의 부족한 편의시설이나 접근의 용의성을 높이는 사례들로 구분할 수 있다.

주변 환경 중 연세세브란스병원과 고려대병원같이 대학 캠퍼스 내에 위치하여 대학 캠퍼스 특유의 여유로운 공간, 자연 요소, 대학문화로 치유환경 형성하는 사례와 구도심에 위치하여 자연 요소보다는 주변 전통문화유산을 이용한 서울대학교병원은 도심의 입지로 인하여 자연환경을 접하기 어려운 한계를 나름의 방법을 이용하였다. 또한, 한강에 가까운 곳에 있고 의료시설의 병동부를 고층에 위치하여 시각적 전망과 수공간의 접근이 가능한 아산의료원과 한강의 시각적 전망을 제공하는 순천향대학교병원과 중앙대병원이 있다. 건국대병원은 다른 사례와는 다르게 대학 캠퍼스의 수공간 옆에 배치하여 치유환경 요소로 사용한 경우이다.

그러나 대부분의 3차 의료시설이 도시의 중심부에 위치하는 경우가 많아 자연을 이용한 치유환경을 제공하는 데는 현실적으로 한계가 있다. 이런 한계를 극복하기 위하여 자연을 이용한 치유환경 대신 주변의 다양한 상업시설과 편의시설이나 종교적 문화적 시설 등 의료시설 내 부족한 공간들을 보완할 수 있다. 많은 대학병원 사례에서 주변 환경이 상업지역과 연계되며 의료시설의 사용자 특성상 주거지역에 위치하는 사례도 많다. 특히 의료기관은 도시 형성 초기에 도시의 중심에 위치하는 경우가 많지만, 도시가 확장되면서 주거지역이 중심부에서 외부로 이동하는 상황에 따라 의료시설도 그에 따라 변화한다.

의료시설과 주변 환경(도시시설의 연계)

주변 환경	의료시설
상업지역	서울성모병원, 이대마곡병원, 여의도성보병원 구로고려대병원, 강남차병원, 강남을지병원
주거시설	보라매병원, 상계백병원, 은평성모병원 삼성의료원, 이대목동병원, 서남병원 강남세브란스병원, 강동경희대병원, 서울을지병원
서울 구도심 종교시설	서울백병원

　　의료공간의 기능이 질병의 치료라는 제한된 기능적 공간에서 질병의 간호와 예방 등으로 확장되고 의료공간이 단순한 진료공간에서 외래진료공간이라는 생활공간, 입원과 연관된 거주와 생활의 개념 도입, 의료교육의 장이라는 교육공간으로 복합화되면서 제공하는 공간의 양과 더불어 질적 수준이 요청된다. 그러나 도시의 발생에 따라 주로 구도심에 있는 의료시설은 기능적 공간을 제공하는 한계가 나타난다. 이러한 공간적 환경적 한계를 극복하고 치유환경을 조성하기 위하여 다양한 주변 환경의 적극적인 사용이 요청된다.

의료시설과 주변 환경(자연/시각적 조망 연계)

주변 환경	의료시설
대학교 캠퍼스	연세세브란스병원, 고려대학교병원, 경희대병원, 한양대병원
서울 구도심 전통문화유산	서울대학교병원
한강	아산의료원, 순천향대학교병원, 중앙대학교병원
수공간(호수)	건국대학교병원

　　서울지역의 3차 의료시설 분석 결과 치유환경 조성에 대한 주변 환경은 크게 물리적인 범위의 외재적 환경과 현상학적인 범위의 내재적 환경으로 분류할 수 있다. 이를 통하여 물리적 범위는 계획적, 자연적, 기념적 요소로, 현상학적 범위는 시각적, 심리적, 체험적 요소 등 공간구성을 위한 다양한 요소적 특징들을 확인할 수 있다. 주변 환경을 이용한 치유환경의 조성은 의료공간의 공공성을 높이고 기존의 독립적이며 격리된 의료분야를 주변으로 확장하면서 도시의 다른 프로그램과 연결하여 새로운 네트워크로 작동하면서 현대 사회의 복합화에 일정 부분 이바지할 수 있을 것이다.

치유환경 조성을 위한 주변 환경 분류

외재적 환경(물리적 범위)			내재적 환경(현상학적 범위)		
계획적 요소	자연적 요소	기념적 요소	시각적 요소	심리적 요소	체험적 요소
용도시설, 교통, 접근성	지형, 산, 수공간	문화재, 전략공간	개방성, 흥미성	심미성, 쾌적성	동선, 편의성

The purpose of this study is to analyze the features of neighborhood environment to provide the architectural planning information of hospital architecture in Seoul. The relationship between healthcare system and healing environment has been analyzed.

The characteristics of neighborhood environment for healing environment are followed. First of all, factors of healing environment are rest area and their connection, view from inside of healthcare facilities. The second one is that medical facility have expanded with the urban development and have formed an annexed building in the Seoul area. The third one is that two types of relationship between facility and environment. one is healing environment with natural view and traditional cultural heritage, the other one is supplementation for convenience usage with neighborhood facilities such as religious facility, commercial facility, and multi-unit dwelling.

18. 도심 속 치유환경

　　최근 의료시설은 기존의 질병 치료라는 기능적인 공간에서 치유환경의 조성으로 변화하고 있다. 의료시설 내 치유환경 형성 방법의 가장 대표적이며 보편적인 것은 건축설계 과정에서 내, 외부공간의 자연 요소를 도입하거나 생태건축 중 일부 요소들을 포함하는 경우가 대표적이다. 그러나 현실적으로 자연과 연계되는 공간을 도입하는 환경적인 방법은 단순하게 나타나며 그 결과 초기의 의도와는 다르게 사용되거나 사실상 사용되지 않는 경우가 발생한다. 그러므로 이러한 환경적인 방법과 더불어 자연을 이용한 건축공간구성을 통하여 더욱 원리적인 치유환경의 건축 계획적 접근 방법이 필요한 실정이다. 건축가들은 건축설계 과정에서 나름대로 자신만의 디자인 방법과 요소로 건축계획 및 공간구성을 통하여 자연을 이용하였고, 자연 요소의 도입은 직접적이나 간접적인 다양한 방법으로 구현할 수 있다.

　　자연 요소의 도입을 통한 치유환경의 조성에는 다양한 방법이 있는데, 대표적인 것이 휴식공간 같은 피난처를 제공하고 외부를 바라보는 조망을 이용하는 방법이다. 애플턴(Appleton)은 심리적인 면에서 피난처와 조망을 언급하면서 문화적이고 정신적인 면을 강조하였다.[65] 피난처는 공동체적 보호성을 의미하는 것으로 안정이 주요한 목적이며, 건물의 외부공간은 대지 내의 건물 외부공간이며 자연 속에서 자연을 한정하는 것이다. 내부공간의 적용

방법은 중심, 전이, 연속, 분할, 개방 및 폐쇄 등이다. 조망은 신체적 접촉을 벗어나 바라봄을 물리적 차원을 넘어 문화적, 사회적 경관을 포함한다. 조망은 외부, 내부, 내면적 조망으로 구분되는데 건축공간에서 시선의 흐름은 피난처 공간에서 시작하여 내부조망, 외부조망으로 전개되며 이후 내면적 조망으로 변환되어 진행된다. 치유환경 조성 방법을 분류하면 다음과 같다.

치유환경 분류

분류	특성
휴식공간 (피난처)	수평 범위-120° 수직 범위-60° 보호성과 안정
조망	외부조망 내부조망 내면적 조망

의료시설의 치유환경 조성의 방법으로 자연 요소 도입의 적용 방법은 외부공간과 내부공간에 따라 나눌 수 있다. 외부공간은 치유환경의 자연 요소의 사용자와 직접적 연관이 있으며 중요한 공간이 된다. 주로 자연과 식물의 도입, 휴식공간 등으로 구성된다. 자연 요소의 내부공간 내 도입은 식물, 채광 등 자연 요소의 도입, 실내정원, 옥상정원 등이 있다. 이와 함께 내부공간에서 외부의 조망은 중요한 시각적 경험으로 의료시설의 주변 환경과 연관되어 있다. 라나스(Raanaas) 등의 연구에서 창문을 통한 자연 조망은

재활실 환자의 신체적, 정신적 건강에 긍정적인 영향을 주었다.[66] 그러나 도심 속 의료시설의 경우 조망 확보의 어려움과 기능적 공간구성 상 창문 없는 공간들이 다수 발생하는 경우가 있다.

내 외부공간의 자연 요소 도입 방법

내부공간	외부공간
채광	정원
실내정원, 실내조경, 휴식공간	휴식공간
내부공간에서의 외부조망	휴식공간으로의 접근(동선)

의료시설의 치유환경은 자연의 요소화와 관련된다. 이에 관련된 것으로 빛, 물, 식물, 흙/돌 등이다.[67] 빛과 그림자의 변화는 공간의 활력과 커다란 공간효과와 더불어 에너지로서 생명력 있는 공간으로 기후, 자연조건, 시간의 변화에 따른 인간의 심리에도 영향을 미친다. 물은 고요한 이미지로 마음을 안정화하고 청각적 효과를 이용하여 공간감을 주며 시각적으로 공간의 평안함과 생명력 등을 나타낸다. 식물은 유기체의 활력을 통하여 공기정화 및 채광조절과 같이 건강하고 쾌적한 공간을 형성하여 정신적 안정 효과 및 공간의 질을 조절하며 기능적인 측면에서 공간의 분할, 차단, 개인 공간의 형성 등 다양한 역할을 한다. 흙/돌은 표면에서 느껴지는 질감을 통하여 자연적 분위기를 형성하고 다양한 감각의 체험이 가능하게 한다.

치유환경의 자연 요소

요소	특성
채광	다양한 공간 형성 심리적 영향
물(수공간)	생명력 활력 휴식, 고요함, 공간감, 평안함
식물	유기체 활력 공간정화, 장소구현 공간구성
흙/돌	질감 다감각

　　치유환경의 자연 요소 사용은 여러 국가의 친환경건축물 인
증기준에서 의료시설을 위한 평가항목을 통하여 치유환경의 조성
을 평가할 수 있다. 친환경 건축 평가인 미국의 LEED(v4)
BD+C(Building Design and Construction)[68]에서 의료시설의 평
가항목 중 휴식을 위한 야외공간을 제공하고 휴식공간으로 바로
진입할 수 있는 동선 계획이, 영국의 BREEAM[69]에서는 의료시설
에만 해당하는 별도의 평가항목이 있지는 않지만, 자연 채광과 조
망권 등이 높은 점수로 배점되어 있다. 한국의 녹색건축인증제
(G-SEED)[70]는 녹지비율, 휴식공간 제공 등 항목이 있다. 의료시
설의 인증기준에서 대표적인 자연 요소 도입의 평가항목은 다음과
같다.

친환경 건축 인증기준

인증	요소
LEED	외부 휴식공간 휴식공간으로의 접근
BREEAM	외부 자연 공간 조망
G-SEED	자연 녹지 비율 휴식공간의 제공

도시 공간에 치유환경 조성을 위한 자연 요소의 도입은 현실적으로 많은 제약과 한계가 나타난다. 의료시설의 경우는 기능적인 공간과 감염 등 의료라는 환경 안에서 자연과의 적절한 공존과 관계가 이루어져야 하기 때문이다. 이와 관련된 폐기물 관리, 교차감염과 감염관리의 중요성과 미세먼지, 황사 등 외부환경 영향의 차단이 중요하게 다루어져야 한다. 또한, 의료시설에서 실내환경의 중요도가 높게 여겨지며 특히 열쾌적성 항목이 포함되어야 한다.

치유환경 조성에서의 건축설계의 한계

요소	의료시설의 고려사항
관리	교차 감염, 오염 조절
프로그램	프로그램의 혼합
공간	기능 중심 공간구성

19. 문화와 건강

　　의료시설의 치유환경 조성을 위하여 외부공간에서는 자연 요소를 이용한 피난처성인 휴식공간의 형성과 휴식공간과의 직접적인 연결이 중요하며 내부공간에서는 휴게실과 같은 피난처성과 더불어 내부에서 외부로의 시각적 조망과 전망이 중요한 요소가 된다. 한국의 대표적 의료공간인 서울대학교 병원에서 피난처성의 휴식공간의 조성, 내부공간에서의 외부조망, 그리고 공간구문론을 이용한 외부공간을 분석한다.

　　1885년 광혜원으로 시작하여 대표 국립병원으로 발전한 서울대학교 병원은 의료체계 발전에 따라 기능적이고 효율적인 내, 외부공간에서 인간 중심, 환자 중심의 공간으로 지속하여 변화해왔다. 현재는 서울대학교 연건동 의학 캠퍼스로 임상공간인 서울대학교 병원, 어린이병원, 암병원, 대한외래, 치과병원, 연구공간인 의학연구혁신센터, 의생명연구원, 그리고 교육공간인 의과대학, 치의학대학원, 간호대학으로 구성된다. 서울대학교 의학캠퍼스의 배치는 중앙의 본원과 의학박물관을 중심축으로 본원 주변에 응급의료센터, 어린이병원, 암병원, 치과병원, 장례식장이 위치하며 의료시설 주변으로 간연구소, 임상의학연구소등 연구시설들과 교육시설인 의과대학, 치의학대학원, 간호대학들과 기숙사들이 둘러싸고 있다.

서울대학교병원 배치도[71]

서울대학교 병원의 외부공간의 피난처성인 휴식공간은 본원 남쪽의 의학박물관 주변, 의과대학 주변 조경, 그리고 후면부의 조선시대 정원인 경모궁지이다.

서울대학교 병원 피난처성(의학박물관)

서울대학교 병원의 외부 조망성은 병원 중앙의 의학박물관과 주변 조경을 중심으로 건물의 배치에 따라 다양하게 나타난다. 본원 남쪽의 의학박물관 주변 자연과 후면부의 경모궁지가 주요 조망이 되며, 암병원은 의학박물관과 외부 창경궁이, 어린이병원에서는 의학박물관과 의과대학 주변 조경, 그리고 치과병원에서는 북쪽의 의학박물관이다.

서울대학교 병원 외부 조망성(경모궁지, 창경궁)

서울대학교 병원에서 외부공간의 피난처성과 외부 조망성의 배치와 분포를 정리하면 다음과 같다. 피난처성은 의학박물관 주변, 의과대학 주변 조경, 그리고 조선시대 정원인 경모궁지이며, 외부 조망성은 병원에서 의학박물관 주변 자연과 후면부의 경모궁지이며, 암병원은 의학박물관과 창경궁, 어린이병원에서는 의학박물관과 의과대학 주변 조경, 그리고 치과병원에서는 의학박물관 주변이다.

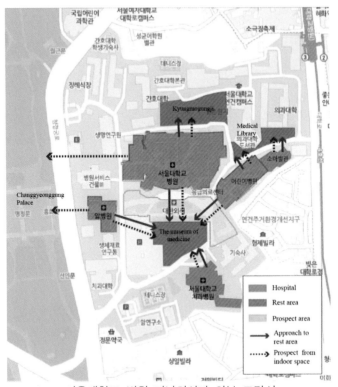

서울대학교 병원 피난처성과 외부 조망성

　　서울대학교 병원 외부공간의 분석과정은 서울대학교병원의
분석할 외부공간 범위를 정하고 Space Syntax Axial Map을 작성
하여 서울대학교 병원 내 각 건물의 배치와 외부공간의 연결성 및
특성을 분석하였다. 서울대학교 병원 외부공간의 분석 결과, 연결
도는 서울대학교 병원 본원, 의학박물관, 그리고 치과병원을 연결
하는 외부공간에서 제일 높게 나타났고, 대학로 방향 출입구와 장

레식장 등 주출입구와 건물이 연결되는 곳에서 높게 나타났다. 서울대병원의 외부공간 통합도는 병원 주출입구인 창경궁로와 장례식장을 연결하는 외래주차장 도로 쪽이 높고, 부분 통합도(3)은 본원 전면부 남쪽의 외부공간을 중심으로 루프(Loop)형 도로체계를 중심으로 높게 나타났다. 보행 빈도 항목인 ERAM(3)은 부분 통합도(3)와 유사하게 본원, 의학박물관과 치과병원을 연결하는 외부공간에서 높게 나타났다. 또한, 본원 북쪽의 조선시대 정원인 경모궁지는 문화유적이며 보이드 공간으로 휴식공간의 이용 가능성이 높지만 연결도, 통합도, ERAM(3) 값이 낮아 병원 전체의 중심공간보다는 본원 특히 병동부와 연결된 휴식공간으로 사용 가능하다.

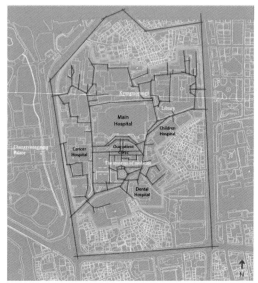

서울대학교 병원 공간구문론 Axial Map

서울대학교 병원의 외부공간 중 가장 큰 공간을 차지하고 있는 병원 내 도로와 주차장 공간의 특징은 외래고객 주차장, 암병원 주차장, 장례식장 주차장 등 지하, 지상 부분 등 서로 연결되지 않아 사용에 불편하며, 주차장 입구가 본원 앞쪽으로 가로질러 위치하여 공간 분절이 발생하였고, 각 건물 지상부 부속 주차장으로 지상 공간의 보행 불편이 유발되었다. 이러한 문제점의 극복을 위하여 최근 완공된 서울대학교병원 대한 외래 지하복합 진료공간사업은 외래진료부, 편의시설 및 지하주차장 사업으로 변화하였고 그로 인한 외부공간의 특성은 다음과 같다.

1. 통합도가 높아 접근과 인지가 용이
2. 기존 주차장과 근접하여 기능적 연결이 가능
3. 본원, 어린이병원, 치과병원 연결공간으로 작용
4. 병원 외부공간의 보행공간으로 전환 가능성

일반적으로 도심부 의료시설은 병원 내부공간에 자연 요소의 이용은 외부 조망성 이외에 휴식공간, 옥상정원, 식물의 도입 등 다양한 방법이 시도되나 외부공간은 상대적으로 치유환경 조성을 위한 자연의 도입이 어려우며 이러한 한계를 극복하는 방법이 필요하다. 서울대학교 병원은 도심 내 의료시설의 자연 요소 확보 어려움을 해결하기 위하여 경모궁지와 주변의 창경궁 등 문화전통유산을 이용하여 휴식공간 및 외부 조망을 보완할 수 있다.

The analysis of outdoor and indoor spatial composition with natural elements is required for the creation of healing environment in healthcare facility to provide basic data for the planning of hospital architecture. Literature review of healing environment and investigation on characteristics of spatial composition in architectural works and healthcare facilities have been conducted. The spatial composition of outdoor space for refuge and prospect from indoor space of Seoul National University Hospital have been analyzed.

The result of this research can be summarized as followed. First of all, the main natural elements for healing environment are consisted with refuge in outdoor space and prospect from indoor space. The second one is that natural elements in Seoul National University Hospital are located in central, posterior, and lateral area of main hospital and connectivity, integration, and ERAM(3) which the characteristics of outdoor spatial composition with space syntax are focused on the museum of medicine and landscape area in the center of hospital. The third one is that the outdoor refuge and prospect from indoor space in Seoul National University Hospital can be replaced with cultural heritage like the site of Kyungmogungji and Changgyeonggung palace in and next to the hospital.

In addition to the outdoor and indoor spatial composition, it is necessary to analyze the relationship between elements to develop the healing environment of hospital architecture.

20. 건축공간구성을 통한 치유환경 조성

　　최근 의료시설 내 치유환경의 형성은 건축설계 과정에서 내, 외부공간의 자연 요소 도입 및 생태건축 중 일부 요소들을 포함하는 경우가 많다. 그러나 이와 같은 환경적인 방법과 더불어 건축공간구성을 통하여 원리적인 치유환경의 건축 계획적 접근 방법이 필요한 실정이다. 건축가들은 건축설계 과정에서 나름대로 건축계획 및 공간구성을 통하여 다양한 치유환경의 조성을 시도해 왔다. 특히 일본 건축가 소우 후지모토(Sou Fujimoto)는 1990년대 중반부터 2000년대 중반까지 병원건축의 설계 작품들에서 건축공간을 통한 치유환경을 제공하려고 노력하였다. 이러한 의료시설의 치유환경과 사회의 연관성을 고려하여 치유환경의 관점에서 소우 후지모토 병원 작품들의 건축공간구성 특성을 살펴보고 치유환경 조성의 결과인 의료시설의 공간구성 방법과 치유환경과의 상관관계를 살펴본다.

　　건축설계 단계에서 공간구성을 통하여 치유환경을 조성하는 대표적인 건축가가 소우 후지모토이다. 그의 병원 건축은 1996년부터 2006년에 집중되어 있는데, 사례를 살펴보면 세이다이병원 (Seidai Hospital Work House, Annex), 노보리베쓰 치매환자 치료시설(Group Home in Noboribetsu), 다테시의 보호시설들(M Hospital, Day Care House, Work House, Group Home(Home for the Mentally Handicapped), Hokkaido), 정서장애아동센터

(Children's Center for Psychiatric Rehabilitation) 등이다.

소우 후지모토 의료시설 사례들의 공간구성과 다이어그램 특징은 단순한 부분들 사이에서 복잡성을 발견하고 복잡한 것들 사이에서 단순함을 추구하여 자연의 다양성을 현대적 의미로 재구축하고 복잡함과 불확정성을 제어하는 것이다. 이를 위하여 사용하는 건축적 장치들로는 공간과 프로그램의 위계성 제거, 프로그램의 무작위적(Random) 분포, 단위 입자(Particle)의 증식 및 조합, 프랙탈적 복제, 매개공간 및 사이 공간, 점층적 변화(Gradation), 경계의 재구성 및 다양한 경계공간의 형성, 흐림(Blur), 우회(Detour)하는 동선 등으로 부분의 건축, 모호함의 건축을 추구한다. 또한, 건축공간의 구성방법은 각도의 변화 및 조정(Angle), 단위 공간의 크기 변화 및 병치 즉 반복과 중첩(Layering), 밀어내기 방식을 통한 위치 및 방향 조정(Shift) 등이다.

소우 후지모토 건축설계의 공간구성 특성

요소	특성
평면	공간과 프로그램의 위계성 제거, 프로그램의 무작위적(Random) 분포, 단위 입자(Particle)의 증식 및 조합
공간구성	프랙탈적 복제, 매개공간 및 사이 공간, 점층적 변화(Gradation), 경계의 재구성 및 다양한 경계공간의 형성, 흐림(Blur)
동선	우회(Detour)

소우 후지모토의 병원건축 사례

사례		공간구성	실 구성 유형, 조닝(개인/공용)	동선, 복도 구성	실 연결 방법
세이다이병원 (Seidai Hospital Annex)			공간분할 방식, 개인공간/ 공용공간 +복도	루프 동선, 통합 방식	방사선 형
노보리베쓰 치매환자 치료시설 (Group Home in Noboribetsu)			공간분할 방식, 개인공간/ 공용공간 +복도	한 방향 동선, 통합 방식	방사선 형
다테시 의 보호시 설들 (Home for the Mentall y Handica pped, Hokkai do)	1F		공간첨가 방식, 개인공간/ 공용공간 +복도/복 도	한 방향 동선, 분리 방식 (편복도)	선형
	2F		공간첨가 방식, 개인공간/ 공용공간 +복도/복 도	한 방향 동선, 분리 방식 (편복도)	선형

사례		공간구성	실 구성 유형, 조닝(개인/공용)	동선, 복도 구성	실 연결 방법
정서장애아동센터 (Children's Center for Psychiatric Rehabilitation)	1F		공간첨가방식, 개인공간/공용공간+복도	루프 동선+한 방향 동선, 통합 방식	방사선형
	2F		공간첨가방식, 개인공간/공용공간/복도	한 방향 동선, 분리 방식 (중복도)	선형

건축사례들은 공간구성방식에 따라 크게 공간분할방식과 공간첨가방식으로 나눌 수 있다. 공간분할방식(나누기, Division Type)은 단순한 기하학 형태의 내부를 실로 나누어서 구성하는 방법이며 공간첨가방식(더하기, Add on Type)은 단위 공간을 반복하여 배치하고 사이 공간을 첨가하여 전체를 구성하는 방법이다.

실 구성과 조닝은 모든 사례에서 개인 공간, 공용공간, 복도로 구성되는데 공용공간과 복도 중 일부분은 따로 분리되지 않고 공용공간 일부와 복도가 통합되었다. 대신 개인 공간은 공용공간과는 다르게 명확히 구분하여 개인 공간의 프라이버시 특성을 유지하였다.

동선은 크게 루프(Loop) 동선과 한 방향 동선으로 나뉜다. 전체가 루프 동선인 경우는 층에 따라 루프 동선과 한 방향 동선이 같이 나타나거나, 한 방향 동선 등 다양하게 나타난다. 프로그램과 동선을 연결하는 복도의 구성방법은 복도와 실이 분리되어 독립된 분리 방식과 복도가 실과 통합되어 복도와 실이 구분되지 않는 통합 방식 두 가지로 나타난다. 분리된 복도 방식에는 편복도와 중복도로 나누어진다.

프로그램과 동선의 연결

분리 방식	통합 방식
다테시의 보호시설들(Home for the Mentally Handicapped, Hokkaido) 정서장애아동센터(Children′s Center for Psychiatric Rehabilitation) 2F	세이다이병원(Seidai Hospital Work House, Annex) 노보리베쓰 치매환자 치료시설(Group Home in Noboribetsu) 정서장애아동센터(Children′s Center for Psychiatric Rehabilitation) 1F

공용공간과 복도에서 각 실의 연결은 여러 공간을 동시에 접근하게 하여 방사선형으로 연결하는 방식과 공용공간과 복도에서 각 실로 진입하는 선형 접근 방식 등 두 가지로 나타난다.

프로그램 연결 방법

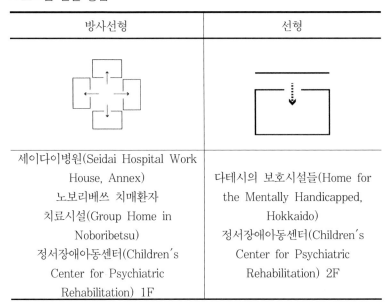

방사선형	선형
세이다이병원(Seidai Hospital Work House, Annex) 노보리베쓰 치매환자 치료시설(Group Home in Noboribetsu) 정서장애아동센터(Children's Center for Psychiatric Rehabilitation) 1F	다테시의 보호시설들(Home for the Mentally Handicapped, Hokkaido) 정서장애아동센터(Children's Center for Psychiatric Rehabilitation) 2F

소우 후지모토 의료시설 사례들의 공간구성을 살펴보면, 실 구성 유형과 조닝(Zoning) 방법은 공간분할방식과 공간첨가방식으로, 동선과 복도의 구성방법에서 동선은 루프(Loop) 동선과 한 방향 동선으로, 공용공간과 복도에서 실의 연결은 방사선형과 선형 접근방식으로 나타난다. 이는 건축 설계과정에서 다양한 공간구성을 이용하여 치유환경을 조성할 수 있음을 의미한다.

The analysis of spatial composition is required for the creation of healing environment in healthcare facilities. This study has been accomplished to provide basic data for the planning and design of hospital architecture. Literature review of healing environment and investigation on characteristics of spatial composition in healthcare facilities have been conducted. The architectural plans of four Sou Fujimoto's healthcare projects have been analyzed with space syntax.

The result of this research can be summarized as followed. First of all, the healing environments are consisted with architectural composition in addition to physical and psychological factors for healing environment. The second one is that the characteristics of spatial composition in Sou Fujimoto's healthcare projects are different private/public/corridor relationships in program configuration, loop or one direction circulation, combined or independent corridor with program, and radical or linear connection in spatial connection methods. The third one is that the characteristics of spatial composition in selected cases through space syntax are high variation on integration, low variation on connectivity, and high distribution in main circulation on ERAM(3).

In addition to the specific spatial composition in healthcare facilities of the architect's project, it is necessary to analyze the relationship with other factors and facilities to develop the planning of hospital architecture.

에필로그

현대 사회에서는 기존 사회와는 다르게 공공성의 정의와 개념의 많은 변화가 나타났다. 특히 한국 사회는 전통사회에서 서양의 자본주의로 빠르게 변화하면서 많은 갈등과 화해의 과정에는 항상 공정과 공공이 쟁점이 되어 왔다. 건축이라는 장 속에서 살다 보니 자연스럽게 사회 속에서 공정을 볼 기회가 많아지고 그 결과가 공간으로 나타나기도 한다. 그럴 때마다 우리의 공간이 공정한지 살펴보게 되고 그런 생각이 개인적인 삶 속에서도 큰 영향을 받게 된다.

건축의 장점은 많지만 개인적으로 가장 큰 장점은 사회를 바라보는 관점을 고민하면서 살펴보는 기회가 항상 만들어진다는 것이다. 건축이라는 외부의 자극은 개인적인 내부 고민의 한계를 매번 깨트리면서 항상 깨어있게 해 준다. 이러한 건축의 과정을 겪으면서 건축설계와 연구와 교육을 한 결과 만들어진 자신만의 관점을 여기에 일부 드러내고자 한다.

이 책에 바탕이 된 연구 논문은 다음과 같다.

제1장 걸을 수 있는 권리

정태종. 서울시 도심부 보행환경과 공간구성 관계 특성에 관한 연구 - 공간구문론을 이용한 종로와 청계천로의 보행가로체계분석을 중심으로-. 한국문화공간건축학회 논문집, 통권 제70호 (2020-05)

정태종, 김재섭, 김호진, 한승주. 여가보행 관점에서 본 청계천길의 공간구성 특성 연구. 대한건축학회 학술발표대회 논문집, Vol.40 No.1 (2020-04)

이학성, 한승주, 정태종. 도시공간 보행을 위한 가로체계 구성의 특성 분석. 대한건축학회 학술발표대회 논문집, Vol.39 No.2 (2019-10)

김재섭, 김호진, 정태종. 서울시 도심부 야간경관의 분류 및 분석 연구. 대한건축학회 학술발표대회 논문집, Vol.39 No.2 (2019-10)

정태종. 서울시 도심부 사회기반시설물의 지속가능한 재생을 통한 보행 가로체계 구축과 보행 활성화에 관한 연구. 대한건축학회 학술발표대회 논문집, Vol.42 No.2 (2022-10)

정태종. 서울 도심부 보행공간 활성화를 위한 사회기반시설물 활용 보행가로체계 변형 방식 연구. 대한건축학회논문집, Vol.39 No.7 (2023-07)

정태종. 서울시 도심부 녹지공간 개방에 따른 주변환경 공간구조의 관계성 변화 연구. 대한건축학회 학술발표대회 논문집, Vol.43 No.1 (2023-04)

제2장 공정한 문화생활

김호진, 한승주, 정태종. 전시공간의 사회적 역할 변화에 따른 공간구성에 관한 연구. 대한건축학회 학술발표대회 논문집, Vol.40 No.1 (2020-04)

정태종. 전시공간의 사회적 역할에 따른 공간구조와주변환경과의 연계성에 관한 연구- 국립현대미술관 서울관 분석을 중심으로 -. 한국문화공간건축학회 논문집, 통권 제71호 (2020-08)

김호진, 정태종, 안대환. 전시공간의 주변환경과 관계에 따른 공간구성에 관한 연구. 대한건축학회 학술발표대회 논문집, Vol.40 No.2 (2020-10)

김건희, 정태종. FRAC의 시스템 분석을 통한 기존의 미술관과 다른 구조적 이점 연구. 대한건축학회 학술발표대회 논문집, Vol.43 No.2 (2023-10)

김건희, 정태종. FRAC 사례의 공간 분석을 통한 전시공간과 고유한 시스템과의 상호작용 연구. 대한건축학회 학술발표대회 논문집, Vol.44 No.1 (2024-04)

정태종. 프락(FRAC) 사례 분석을 통한 전시공간의 새로운 사회적 역할과 그에 따른 공간구조 연구. 대한건축학회 학술발표대회 논문집, Vol.44 No.1 (2024-04)

제3장 사는 것이 아닌 사는 곳

정태종, 김명식. 공공임대주택 서울등촌7단지의 내외부 공간구성 특성에 관한 연구- 공간구문론 분석을 이용한 물리적 환경을 중심으로 -. 한국문화공간건축학회 논문집, 통권 제71호 (2020-08)

서경은, 정태종, 안대환. 수도권 지역 공공임대주택과 도시의 경계 형성에 관한 연구. 대한건축학회 학술발표대회 논문집, Vol.40 No.2 (2020-10)

정태종, 김명식. 공공임대주택단지 내외부 공간의 구성과 관계 특성에 관한 연구. 대한건축학회논문집, Vol.36 No.07 (2020-07)

정태종, 김명식. 아파트 단지식 공공 임대주택의 물리적 경계와 단절성 특성에 관한 연구. 대한건축학회 학술발표대회 논문집, Vol.40 No.1 (2020-04)

정태종. 한국 내 코로나 19 감염병에 따른 주거시설의 건축계획적 변화 가능성에 관한 연구. 대한건축학회 학술발표대회 논문집, Vol.42 No.1 (2022-04)

제 4장 건강한 공간

정태종, 엄준식. 치유환경 조성을 위한 의료시설과 주변 환경 연계에 관한 연구 - 서울지역 3차 의료 기관을 중심으로 -. 대한건축학회 학술발표대회 논문집, Vol.40 No.2 (2020-10)

정태종. 의료시설 내 치유환경 조성을 위한 자연요소 도입에 관한

연구 - 서울대학교병원 사례분석을 중심으로 -. 대한건축학회논문
집 계획계, Vol.35 No.11 (2019-11)

정태종. 의료시설 내 건축공간구성을 통한 치유환경 조성에 관한
연구. 한국의료복지건축학회지 『의료·복지 건축』, Vol.25 No.2(통
권 75호)(2019-06)

참고문헌

강정민, 김동일. 미셸 푸코와 미술관에 대한 테제들. 인문연구 66. 2012

곽정윤. 현대 공공미술관 전시의 사회적 기능 : 국립현대미술관을 중심으로. 대구대학교 석사논문. 1997

김건희, 정태종. FRAC의 시스템 분석을 통한 기존의 미술관과 다른 구조적 이점 연구. 대한건축학회 학술발표대회 논문집, 43(2). 2023

김민석. 포스트 코로나 시대에 대한 건축 계획적 대응 방안 연구. 대한건축학회논문집 37(02), 2021.

김숙진. 생태 환경 공간의 생산과 그 혼종성(hybridity)에 대한 분석 : 청계천 복원을 사례로. 한국도시지리학회지, 2006

김현석, 임한울, 이수정, 장유리. 서울시 공공디자인 정책분석으로 본 공공디자인연구. 디자인학연구, 2012

김호인. 야간 가로수 보행공간 환경 개선 방안에 관한 연구. 상지대학교 석사논문, 2014

김호진, 한승주, 정태종. 전시공간의 사회적 역할 변화에 따른 공간 구성에 관한 연구. 대한건축학회 학술발표대회 논문집, 40(1). 2020

민현석, 정윤남, 이상민. 서울시 보행공간의 공공성 평가. 서울연구원, 2018

박소영, 전영훈. 공공디자인을 통해 발현되는 건축적 공공성에 관

한 연구. 대한건축학회지, 2008

박소현, 권영상, 서한림, 최이명. 근린주구 보행활성화를 위한 보행친화적 환경요소의 계량화 : 주거지역의 보행친화도 평가를 위한 기초연구. 국토연 2006-48, 2006

박소현, 최이명, 서한림. 도시 주거지의 물리적 보행환경요소 지표화에 관한 연구. 대한건축학회지, 2008

박수경, 문정민. 치유적 환경을 위한 공간디자인 연구경향에 관한 연구 : 건축 및 실내디자인학회의 연구내용을 중심으로. 한국실내디자인학회논문집 20(4), 2011

박철수. 아파트: 공적 냉소와 사적 정열이 지배하는 사회. 서울:마티, 2005

배순석, 천현숙, 진정수, 전성제, 김승종. 도시주거공간의 사회통합 실현방안 연구. 국토연구원. 안양, 2006

백길태. 청계천로 보행환경 만족도 분석. 연세대학교 석사논문, 2013

백승만. 건축의 창작성과 대중화를 발전시키기 위한 건축문화정책에 대한 연구. 대한건축학회논문집 계획계, 25(11). 2009

백용운. 미술관 전시공간에 사용되는 공간유형. 건축학회논문집 계획계 24(8). 2008

백혜선, 김주진, 조원경. 보금자리주택단지의 사회적 통합을 위한 계획방안 연구. 토지주택연구원. 대전, 2010

서수정, 김주진, 정경일, 설정임. 국민임대주택의 사회통합적 계획방안 연구. 주택도시연구원. 성남, 2004

서울대학교 공과대학 건강증진사업지원단. 건강한 주거환경 조성을 위한 생활권단위의 보행친화도 평가지표 활용에 관한 연구. 서울대학교 공과대학, 2008

서울 서베이 도시정책지표조사 보고서. 2005-2018

신현아. 도시관광요소로서 가로경관과 보행환경에 대한 연구. 서울시립대학교 석사논문, 2009

양보람. 도시가로의 연속적 경관 인식에 영향을 주는 물리적 요인에 관한 연구 : 인사동 전통문화거리 주가로를 중심으로. 중앙대학교 석사논문, 2017

염철호, 심경미, 조준배. 건축·도시공간의 현대적 공공성에 관한 기초 연구. 건축도시공간연구소 연구보고서, 2008

오성훈, 이소민. 보행환경과 행태: 조사분석 보고서. 건축도시공간연구소 발간자료, 2014

이상이, 최윤경. 단위세대 연결방식에 따른 아파트의 공간구조적 특성에 관한 연구. 대한건축학회논문집 계획계, 29권 12호, 2013

이정호. 현대적 공공성 측면에서 본 공공가로 사업 사례 분석. 대한건축학회지, 2012

오창룡. 프랑스 문화정책의 분권화와 시장화 : 리옹의 창조도시정책 사례를 중심으로. 문화와 정치 4(1). 2017

장미래, 양승우. 야간 도시 이미지의 유형화 및 특성에 관한 연구 : 서울시 대표경관을 중심으로. 서울시립대학교 대학원, 2014

전경하, 동정근. 현대 건축공간의 물리적 경계변화를 통한 공공성 실현에 관한 연구. 대한건축학회 학술발표대회, 2008

정종효. 현대미술 지원을 위한 플락(Frac)의 전략적 운영에 관한 연구. 디지털예술공학멀티미디어논문지 6(2). 2019

정태종. 전시공간의 사회적 역할에 따른 공간구조와 주변환경과의 연계성에 관한 연구 - 국립현대미술관 서울관 분석을 중심으로 -. 한국문화공간건축학회 논문집 71. 2020

정태종. 코로나 19 감염병 방어공간의 공간구성과 상관관계 연구 - 미셸 푸코의 질병의 공간화 개념을 이용한 건축도시공간 특성 분석 -. 한국문화공간건축학회 논문집, 통권 제74호, 2021

줄레조 발레리, 길혜연 역. 한국의 아파트 연구. 아연출판부, 서울, 2004

차주영. 도시의 야간경관 디자인. 한국도시설계학회, 2005

천현숙. 사회통합을 위한 공공임대주택단지의 사회적 혼합방안. 국토정책 Brief 제371호, 국토연구원. 세종, 2012

천현숙, 강미나. 보금자리주택단지의 사회적 혼합방안 연구. 국토연구원. 안양, 2009

천효원, 박소현. 도로 시설물의 생성과 변천을 통해 본 보행환경 해석 연구. 한국도시설계학회 학술발표대회, 2013

최재필, 조형규, 최현철, 조영진. 확률과정에 기초한 ERAM 이론의 재해석 및 검증. 대한건축학회논문집(계획계) 20(11), 2014

콜린 고든 외 2인 엮음. 심성보 외 5인 옮김. 푸코 효과 통치성에 관한 연구. 난장. 서울. 2014

황미영, 임채진. Space Syntax Model에 의한 공간해석방법에 관한 고찰. 한국문화공간건축학회논문집 2, 1999

홍상혼. 분양·임대 혼합단지내 공용 공간의 계획요소 및 특성에 관한 연구: 2007년 이후 공급된 SH공사 아파트를 중심으로. 아주대학교 석사논문. 2015

Appleton, J. The experience of landscape, Chichester : John Wiley & Sons, London, 1975

Choi, JH, Choi, JP. (An) Analysis on Seoullo 7017 in terms of Spatial Configuration and Pedestrian Movement in Comparison with the High-line Project. Architectural Research 21(2), 2019

Dilani, A. Romano Del Nord edited. The Culture for the Future of Healthcare Architecture: Proceedings of the 28th International Public Health Seminar, Alinea Editrice, Firenze, 2009

Gehl, Jan. A Changing Street Life in a Changing Society. Places Journal, 1989

Guzowski, M. Daylighting for Sustainable Design, 1st ed.. McGraw-Hill, New York, 2000

Hillier, Bill, Hanson, Julienne. The Social Logic of Space. Cambridge University Press, Cambridge, GB, 1984

Kaplan, S. The Restorative Benefit of Nature:Toward an Integrative Feamework. Journal of Environmental Psychology 16, 1995

Patrick, E., & Linton. S. O. Marberry edited. Innovations in Healthcare Design-Creating a Total Healing Environment, John

Wiley & Sons, Inc. New York, 1995

Raanaas, RK., & Patil, GG., & Hartig, T. Health Benefits of a View of Nature through the Window: a Quasi-experimental Study of Patients in a Residential Rehabilitation Center, Clinical Rehabilitation 26(1), 2012

Roger, S., & Ulrich, RF., & Simons, BD. Losito, Evelyn Fiorito, Mark A. Miles and Michael Zelson. Stress recovery during Exposure to Natural and Urban Environments, Journal of Environmental Psychology 11, 1991

Timothy, OI., & Halil, ZA. Enhancing the Hospital Healing Environment through Art and Day-lighting for Users Therapeutic Process. International Journal of Arts and Commerce 3(9), 2014

국토교통부 공간정보오픈플랫폼.

http://www.vworld.kr/v4po_intorg_a001.do#

대중교통전용지구.

http://urban114.com/news/detail.php?wr_id=2331

청계천소개.

http://www.sisul.or.kr/open_content/cheonggye/

http://www.arch.ttu.edu/people/faculty/kuhnpark/SEOUL/subpages/ss12_fm_cheonggyecheon.html

https://www.culture.gouv.fr/en/Thematic/Plastic-arts/Plastic-Arts-in-France/Regional

주석

1) 염철호, 심경미, 조준배. 건축·도시공간의 현대적 공공성에 관한
기초 연구. 건축도시공간연구소 연구보고서. 2008. pp.12-13
2) 박소영, 전영훈. 공공디자인을 통해 발현되는 건축적 공공성에
관한 연구. 대한건축학회 논문집-계획계 24(8), 2008. pp.13-14
3) 이정호. 현대적 공공성 측면에서 본 공공가로 사업 사례 분석.
대한건축학회지, 2012. p.218
4) 염철호, 심경미, 조준배. 앞의 논문. p.3
5) http://urban114.com/news/detail.php?wr_id=2331
6) 박소현, 권영상, 서한림, 최이명. 근린주구 보행활성화를 위한
보행친화적 환경요소의 계량화 : 주거지역의 보행친화도 평가를
위한 기초연구. 국토연 2006-48, 2006. p.15
7) 신현아. 도시관광요소로서 가로경관과 보행환경에 대한 연구.
서울시립대학교 석사논문. 2009. pp.16-17
8) 박소현, 최이명, 서한림. 도시 주거지의 물리적 보행환경요소 지
표화에 관한 연구. 대한건축학회지, 2008. p.166
9) Jan Gehl. A Changing Street Life in a Changing Society.
Places Journal, 1989. p.15
10) 민현석, 정윤남, 이상민. 앞의 논문. p.7
11) 민현석, 정윤남, 이상민. 앞의 논문. pp.18-24
12) 서울대학교 공과대학 건강증진사업지원단. 건강한 주거환경 조
성을 위한 생활권단위의 보행친화도 평가지표 활용에 관한 연
구. 서울대학교 공과대학, 2008. pp.26-29
13)
http://www.readersnews.com/news/articleView.html?idxno=6
0868
14) 서울 서베이 도시정책지표조사 보고서. 2018. pp.97-99
15) 앞의 글. p.183
16) 민현석, 정윤남, 이상민. 서울시 보행공간의 공공성 평가. 서울
연구원. 2018. p.2
17) Hillier, Bill, Hanson, Julienne. The Social Logic of Space,
Cambridge University Press, Cambridge, GB. 1984. pp.
95-97.
18) 황미영, 임채진. Space Syntax Model에 의한 공간해석방법에
관한 고찰, 한국문화공간건축학회논문집 2, 1999. pp. 89-104.
19) 최재필, 조형규, 최현철, 조영진. 확률과정에 기초한 ERAM 이
론의 재해석 및 검증. 대한건축학회논문집(계획계) 20(11),
2014. pp. 115-122.

20) http://www.sisul.or.kr/open_content/cheonggye/
21)
http://www.arch.ttu.edu/people/faculty/kuhnpark/SEOUL/subpages/ss12_ fm_ cheonggyecheon.html
22) 백길태 (2013). 청계천로 보행환경 만족도 분석. 연세대학교 석사논문, pp.15-17
23)
http://www.arch.ttu.edu/people/faculty/kuhnpark/SEOUL/subpages/ss12_fm_cheonggyecheon.html
24) 백길태. 청계천로 보행환경 만족도 분석. 연세대학교 공학대학원. pp.15-17
25) http://www.sisul.or.kr/open_content/cheonggye/
26) 장미래, 양승우. 야간 도시 이미지의 유형화 및 특성에 관한 연구 : 서울시 대표경관을 중심으로, 서울시립대학교 대학원, 2014. p.156
27) http://www.vworld.kr/v4po_intorg_a001.do#
28) http://data.si.re.kr/seoulphoto
29) 김호인. 야간 가로수 보행공간 환경 개선 방안에 관한 연구. 상지대학교 석사논문, 2014. pp.8-11
30) 차주영. 도시의 야간 경관 디자인. 한국도시설계학회, 2005. p.4
31) 민현석, 정윤남, 이상민. 앞의 논문. p.7
32) 최윤경, 7개의 키워드로 읽는 사회와 건축공간, 시공문화사, 2003, pp.18-24
33) 강정민·김동일, 미셸 푸코의 미술관에 대한 테제들, 인문연구 66호, 2011, p.137
34) 허경, 미셸 푸코의 헤테로토피아-초기 공간 개념에 대한 비판적 검토, 도시인문학연구 제3권 2호, 2011, p.247
35) 앞의 논문 p.217
36) 앞의 논문 p.225
37) Bennett Tony, Exhibitionary Complex, Thinking about Exhibition, Routledge, New York, 1995, p.96
38) 푸코 미셸 저, 이상길 역, 헤테로토피아, 문학과 지성사, 2014, p.10
39) 최윤경. 사회와 건축공간: 7개의 키워드로 읽는. 시공문화사. 2003. pp.18-24
40) https://www.louisiana.dk/louisianas-arkitektur, 2020.06.17 미술관은 Jørgen Bo 와Wilhelm Wohlert에 의하여 설계된 1950년대 덴마크 모더니즘 건축양식으로 주변 자연과 연결되는

수평성이 특징이다.
41) 1999년 UN Studio에 의해 내부 전시공간의 시각적 깊이와 선택동선을 부여하였고 2017년 내부 전시공간의 리모델링을 통하여 공간구성이 변화하였다.
42) SANAA가 설계한 미술관으로 주변도로와 미술관 외부공간 그리고 4개 출입구를 이용하여 내부공간을 관통하여 다른 방향으로 연결하는 공간적 연속성을 통하여 관람객들의 사회적 교류가 가능한 미술관이다.
43) Herzog & de Meuron이 기존의 발전소를 벽돌로 만든 벽면과 세로의 긴창문, 그리고 랜드마크인 굴뚝 등 예전 외형은 보존하고 미술관으로 리모델링하였다.
44) http://www.aurum.re.kr/Bits/BuildingDoc.aspx?mm=4&ss=1&num=5116#.XtmoyeR7mUl, 2020.06.17
45) 민현석·정윤남·이상민. 서울시 보행공간의 공공성 평가. 서울연구원. 2018. p.7
46) https://blog.naver.com/mpart361/220863306168 건축설계를 담당한 민현준 MPART 건축사사무소는 국립현대미술관 서울의 공간 특징으로 군도형 미술관, 무형의 미술관 등을 들었다.
47) 민현석·정윤남·이상민. 서울시 보행공간의 공공성 평가. 서울연구원. 2018. p.7
48) 이정호. 현대적 공공성 측면에서 본 공공가로 사업 사례 분석. 대한건축학회논문집 계획계. 28-11. 2012. p.208
49) 정태종 (2020). 전시공간의 사회적 역할에 따른 공간구조와 주변환경과의 연계성에 관한 연구- 국립현대미술관 서울관 분석을 중심으로 -. 한국문화공간건축학회 논문집 71. p. 40.
50) 강정민, 김동일 (2012). 미셸 푸코와 미술관에 대한 테제들. 인문연구 66. p. 136.
51) https://www.culture.gouv.fr/en/Thematic/Plastic-arts/Plastic-Arts-in-France/Regional-Contemporary-Art-Funds
52) 혼합단지에는 분양+임대 혼합단지(분양+장기공공임대, 분양+공공임대, 분양+장기공공임대+공공임대)와 임대주택 간 혼합단지(장기공공임대+공공임대, 장기공공임대+장기공공임대, 공공임대+공공임대)가 있다.
53) 박철수, 아파트: 공적 냉소와 사적 정열이 지배하는 사회, 마티, 2013
54) 전현숙, 사회통합을 위한 공공임대주택단지의 사회적 혼합방

안, 국토연구원, 2012

55) 백혜선, 보금자리주택단지의 사회적 통합을 위한 계획방안 연구, 한국토지주택공사 토지주택연구원, 2010

56) 배순석 외 4인, 도시 주거공간의 사회통합실현방안 연구, 국토연구원, 2006

57) 서수정 외 3인, 국민임대주택의 사회통합적 계획방안 연구, 한국토지주택공사, 2004

58) 추가로 단위세대 측면에서는 주동 지상층 로비와 입구, 입구 앞 외부공간이 보행로와 연계, 주동 내부 로비와 계단실에 소통과 교류 공간 조성, 다양한 주거 평면(침실 독립, 작업실, 발코니 확장, 2실 통합, 등)과 단면(복층, 다락, 복도 발코니 등) 계획, 입면디자인 질적 향상을 지적하고 있다.

59) 서수정 외 3명, 국민임대주택의 사회통합적 계획방안 연구, 한국토지주택공사, 2004

60) Guzowski, Mary. Daylighting for Sustainable Design, 1st ed.. McGraw-Hill, New York, 2000, p. 321.

61) Roger, S., & Ulrich, RF., & Simons, BD. (1991). Losito, Evelyn Fiorito, Mark A. Miles and Michael Zelson. Stress recovery during Exposure to Natural and Urban Environments, Journal of Environmental Psychology 11. 219-220

62) Kaplan, S. (1995). The Restorative Benefit of Nature:Toward an Integrative Feamework. Journal of Environmental Psychology 16, 174-176.

63) Patrick, E., & Linton. SO. (1995). Marberry edited. Innovations in Healthcare Design-Creating a Total Healing Environment, John Wiley & Sons, Inc. New York. 121.

64) Dilani, A. (2009). Romano Del Nord edited. The Culture for the Future of Healthcare Architecture: Proceedings of the 28th International Public Health Seminar, Alinea Editrice, Firenze. 71-72.

65) Appleton, J. (1975). The experience of landscape, Chichester : John Wiley & Sons, London. 270.

66) Raanaas, RK., & Patil, GG., & Hartig, T.(2012). Health Benefits of a View of Nature through the Window: a Quasi-experimental Study of Patients in a Residential Rehabilitation Center, Clinical Rehabilitation 26(1), 30-31.

67) Timothy, OI., & Halil, ZA. (2014) Enhancing the Hospital

Healing Environment through Art and Day-lighting for Users Therapeutic Process. International Journal of Arts and Commerce 3(9), 104-105.
68) LEED: Leadership in Energy ans Environmental Design
69) BREEAM: Building Research Establishment Environmental Assessment Method
70) G-SEED: Korean Green Standard for Energy and Environmental Design
71) http://en.snu.ac.kr/campus/yeongeon

정 태 종

건축으로 세상을 읽는 공간탐구자. 단국대학교 공과대학 건축학부 조교수. 서울대학교 치과대학을 졸업하고 가톨릭대학교 성모병원 치과교정과 수련의와 의학박사를 마쳤다. 치과의사로 일하며 시간이 날 때면 국내외 건축물과 도시를 만나러 다녔다. 그러다 본격적으로 건축을 배우기로 결심했다. 미국 사이악(SCI-Arc.)과 네덜란드 델프트 공과대학교(TU Delft)에서 공부하고, 한국으로 돌아와 서울대학교 건축학과에서 공학박사를 마쳤다. 지은 책으로는 『도시의 깊이』 『말을 거는 건축』(공저) 『모든 도시는 특별하다』 『가까이 있는 건축』 『50개 건축물로 읽는 세계사』 등이 있다.